João
Cândido

Dados Internacionais de Catalogação na Publicação (CIP)
(Câmara Brasileira do Livro, SP, Brasil)

Granato, Fernando
   João Cândido / Fernando Granato. — São Paulo : Selo Negro, 2010. — (Coleção Retratos do Brasil Negro / coordenada por Vera Lúcia Benedito)

   Bibliografia.
   ISBN 978-85-87478-45-0

   1. Brasil, Marinha – História 2. Brasil – História – Revolta da Esquadra, 1910 3. Brasil – História naval 4. Felisberto, João Cândido, 1880-1969 5. Líderes brasileiros – Biografia I. Benedito, Vera Lúcia. II. Título. III. Série.

10-08871   CDD-981.056092

Índice para catálogo sistemático:

1. Líderes da Revolta da Chibata : Brasil : História :
   Biografia   981.056092

Nota: Este livro foi publicado originalmente com o título
O negro da chibata. A presente edição contém
modificações e acréscimos.

EDITORA AFILIADA

Compre em lugar de fotocopiar.
Cada real que você dá por um livro recompensa seus autores
e os convida a produzir mais sobre o tema;
incentiva seus editores a encomendar, traduzir e publicar
outras obras sobre o assunto;
e paga aos livreiros por estocar e levar até você livros
para a sua informação e o seu entretenimento.
Cada real que você dá pela fotocópia não autorizada de um livro
financia um crime
e ajuda a matar a produção intelectual de seu país.

RETRATOS DO BRASIL NEGRO

João Cândido

Fernando Granato

JOÃO CÂNDIDO
Copyright © 2010 by Fernando Granato
Direitos desta edição reservados por Summus Editorial

Editora executiva: **Soraia Bini Cury**
Editora assistente: **Salete Del Guerra**
Assistente editorial: **Carla Lento Faria**
Coordenadora da coleção: **Vera Lúcia Benedito**
Projeto gráfico de capa e miolo: **Gabrielly Silva/Origem Design**
Diagramação: **Acqua Estúdio Gráfico**
Fotografias: **acervo do Arquivo Geral da Cidade do Rio de Janeiro**
Reproduções fotográficas: **Marco Antonio Belandi**
Impressão: **Sumago Gráfica Editorial Ltda.**

Selo Negro Edições
Departamento editorial
Rua Itapicuru, 613 – 7º andar
05006-000 – São Paulo – SP
Fone: (11) 3872-3322
Fax: (11) 3872-7476
http://www.selonegro.com.br
e-mail: selonegro@selonegro.com.br

Atendimento ao consumidor
Summus Editorial
Fone: (11) 3865-9890

Vendas por atacado
Fone: (11) 3873-8638
Fax: (11) 3873-7085
e-mail: vendas@summus.com.br

Impresso no Brasil

*Aos meus pais,
Therezinha e Mário.
Para Patrícia, Moreno e Luiza.*

Sumário

INTRODUÇÃO 9

1. A INFÂNCIA EM RIO PARDO E O INGRESSO NA MARINHA 13

2. A REVOLTA DA CHIBATA 39

3. DUROS TEMPOS PARA OS REVOLTOSOS ... 63

4. UM HOMEM ESCORRAÇADO DA HISTÓRIA ... 87

5. OS ÚLTIMOS ANOS DE VIDA 109

BIBLIOGRAFIA 125

Marujos do "São Paulo", com Gregório ao centro, em 1910.

Introdução

A baía de Guanabara, no Rio de Janeiro, está repleta de navios estrangeiros na manhã de 16 de novembro de 1910. As embarcações aportam com autoridades para a posse do marechal Hermes da Fonseca no cargo de presidente da República. No encouraçado *Minas Gerais* – o maior navio de guerra brasileiro, atracado a poucos metros do cais do porto –, o clima não é nada festivo. Ao raiar do dia, toda a tripulação é chamada ao convés para assistir aos castigos corporais a que será submetido o marinheiro Marcelino Rodrigues Menezes. Ele ferira a navalhadas o cabo Valdemar Rodrigues de Souza, que o havia denunciado por tentar introduzir no navio duas garrafas de cachaça. Sua pena: 250 chibatadas. Esse é o estopim para a eclosão da chamada Revolta da Chibata, movimento deflagrado pelos marinheiros contra os maus-tratos, que paralisaria o coração do Brasil por quatro dias e custaria a vida de dezenas de pessoas, entre civis e militares.

A punição pela chibata é um hábito herdado pelo Brasil da Marinha portuguesa. Os castigos têm a função de educar na marra os supostos maus elementos que compõem os quadros inferiores. Como dizem os oficiais, as chicotadas e lambadas têm o objetivo de "quebrar os maus gênios e fazer os marinheiros compreenderem o que é ser cidadão brasileiro".

Na noite seguinte aos castigos sofridos por Marcelino, os demais marinheiros do *Minas Gerais*, recolhidos em seus beliches, decidem que a situação não pode continuar daquela forma. "Isso vai acabar", diz o marujo João Cândido, um negro alto, de 30 anos, que desponta como o líder absoluto da revolta que se aproxima.

Este trabalho pretende clarear os fatos que levaram à eclosão do conflito e mais: revelar quem foi esse líder. João Cândido Felisberto, chamado de "Almirante Negro" pelos companheiros, é um símbolo da luta contra a opressão no Brasil. Nasce em uma propriedade rural na divisa entre Brasil e Argentina, filho de escravos. Passa a infância acompanhando o pai, que depois de liberto vira tropeiro e faz longas viagens conduzindo gado. Entra para a Marinha como aprendiz aos 14 anos, pelas mãos de um vizinho, o almirante Alexandrino de Alencar.

Aos 20 anos, é instrutor de aprendizes-marinheiros. Conhece toda a costa brasileira e faz viagens internacionais para a Argentina e para o Chile. Em 1909, quando completa 29 anos, João Cândido é escalado para uma missão especial na Inglaterra, onde assistirá à montagem final do encouraçado *Minas Gerais*, sofisticado navio de guerra encomendado pela Marinha brasileira aos estaleiros Vickers-Armstrong. Como é de difícil manejo, um grupo de marinheiros é enviado à Inglaterra para se familiarizar com os equipamentos.

Os brasileiros voltam da Europa mais questionadores. Motivados pela organização política dos marinheiros ingleses, eles passam a discutir a própria situação, concluindo que os humilhantes castigos à base de chibatadas têm de acabar. Líder e mentor do movimento, João Cândido é também um dos mais injustiçados. Nunca mais consegue emprego, nem na Marinha Mercante.

Fruto de dois anos de pesquisa – nos arquivos da Marinha, Biblioteca Nacional e com familiares de João Cândido –, este livro pretende iluminar, ainda, um período pouco conhecido da história do "Almirante Negro": a fase que vai de sua absolvição à sua morte, no Rio de Janeiro, em 1969, aos 89 anos. O que se vê é que a fama de "perigoso" não reflete as convicções políticas de João Cândido, muito menos encontra respaldo na vida que passa a levar após o fim da revolta – época marcada pela perseguição política, pela penúria e pelas tragédias pessoais. De marinheiro a pescador, recluso e doente, tem a polícia vigilante até mesmo em seu enterro.

"Scout Bahia", em foto tirada em 1910, ano da Revolta da Chibata.

1. A infância em Rio Pardo e o ingresso na Marinha

São nove horas de uma manhã de 1890. Na fazenda de João Felipe Corrêa, em Rio Pardo, interior do Rio Grande do Sul, boiadeiros juntam o gado que deveria ser embarcado para venda. Muitos deles são ex-escravos que permaneceram na propriedade mesmo depois da abolição, há dois anos.

O pequeno João Cândido Felisberto, de 10 anos, filho de um desses ex-escravos, assiste à lida com os animais. Com uma pequena vara, vai desenhando no chão: bois, cavalos e tudo que compõe a cena de trabalho do pai. Até que é repreendido pelo neto de João Felipe Corrêa, um arrogante garoto de 15 anos, que também se encontra no curral.

"Negrinho tinhoso, aqui não se brinca, só se trabalha", diz o jovem descendente de barões. Nesse instante, João Cândido atira a vara que está em sua mão direita sobre o neto do patrão. Sai correndo, esconde-se em uma gruta nos fundos da propriedade e lá permanece o dia inteiro, para fugir do castigo.

Passa a tarde e a noite sem comer, isolado na gruta. Seus pais não se preocupam com a ausência. É criado solto, como um bezerro, e nem sempre aparece na pequena choupana onde vive com a família.

A irreverência lhe custa caro. Nessa mesma noite, João Felipe Corrêa comunica a João Cândido Velho, pai de João Cândido, que o garoto será mandado a Porto Alegre, a fim de se tornar aprendiz de marinheiro, pelas mãos do almirante Alexandrino de Alencar, um amigo da família.

A Marinha, nessa época, com dificuldade de preencher seus quadros, é o destino da escória da sociedade e serve como castigo aos jovens indisciplinados, que podem ingressar muito cedo na vida militar. Na maioria dos casos, os jovens chegam à Marinha indicados pela polícia. Ao mesmo tempo, seus quadros superiores são ocupados pela elite, caso do próprio almirante Alexandrino de Alencar.

O castigo lhe serviria como estímulo para uma nova vida. Desde pequeno, João Cândido sonhava com as embarcações que via nos portos às margens do rio Jacuí, principalmente o das Pombas, destinado ao embarque de trigo e arroz produzidos na região, e o Pederneiras, escoadouro da rica zona pecuarista.

Os pequenos navios faziam o transporte fluvial entre a capital gaúcha e Rio Pardo, e João Cândido frequentava os portos na companhia de seu pai, que conduzia o gado para ser embarcado. Em outras viagens, acompanhando tropas de animais, ao longo da fronteira, chegou a Livramento e Rivera. Tomou gosto pelas viagens. Montava como gente grande. Dormia enrolado em um pelego de pele de carneiro. Jamais se esqueceria, ao longo de sua vida, daquelas viagens recheadas de aventuras. Nas frias noites, ficava com os tropeiros em volta da fogueira, aquecendo-se com chimarrão e ouvindo histórias de homens vividos.

Rio Pardo é uma cidade rica, com a economia voltada para a pecuária e o cultivo de trigo e arroz. É terra de barões, viscondes e da aristocracia rural gaúcha. A cidade é famosa por suas construções em estilo colonial, com placas indicando a passagem de Dom Pedro II e da Princesa Isabel. É uma região de extensos campos de pastagens, que se alternam com plantações de trigo, erva-mate e arroz. Em volta da cidade, predominam as grandes estâncias pastoris, produtoras de charque e derivados do gado. Nelas, existem também criações de muares, que são vendidos na fronteira com o Uruguai.

João Cândido Velho ganhara, depois da abolição, o direito de ficar com a família na propriedade de João Felipe Corrêa. Ajudava na fazenda, no manejo com o gado, mas tinha atividade própria. Era da confiança da família do senhor e, antes de ganhar a liberdade, chegara a cuidar sozinho da propriedade na ausência de Corrêa.

Pelas mãos do almirante Alexandrino de Alencar, já naquela época consagrado na Marinha pela liderança que exercera na Guerra do Paraguai, João Cândido segue para Porto Alegre, onde viria a ser aprendiz de marinheiro.

João Cândido Velho e sua mulher Ignácia, também ex-escrava, concordam pacificamente com o destino dado ao filho. Pelo menos, ele teria uma profissão e, além disso, seria uma boca a menos para ser alimentada, em uma família de oito filhos.

Na capital gaúcha, enquanto não ingressa na Marinha, João Cândido exerce temporariamente a função de moleque de recados e, em seguida, trabalha como ajudante em uma pequena fábrica de tecidos. Mora de favor no sótão da fábrica, em um bairro afastado da capital gaúcha. Com o minguado pagamento, mantém-se sozinho na cidade grande. Sente o gosto da liberdade.

Em alguns finais de semana, João Cândido vai a Rio Pardo e se hospeda nos fundos da casa do almirante Alexandrino de Alencar, que passara a ajudar intensamente sua família. João Cândido Velho passa a enfrentar problemas de alcoolismo e não consegue mais garantir o sustento da família.

O almirante Alexandrino – um dos mais enfáticos propagandistas da República, que ascenderia a todos os postos na Marinha, exercendo, inclusive, o cargo de ministro – dá atenção especial ao menino que sonhava com as embarcações do Jacuí.

A casa dos Alencar, um sobradinho branco construído em uma pequena elevação, na rua General Osório, ao lado do teatro, passa a fazer parte da pré-adolescência do futuro marinheiro.

Em 1893, aos 13 anos, João Cândido conhece – por intermédio do almirante Alexandrino – um navio da Marinha brasileira, o *Ondina*, que está ancorado em Porto Alegre.

O futuro marinheiro chega ao cais na companhia do oficial, o que provoca grande curiosidade nos marujos que estão a bordo: jamais um negro tivera tamanha regalia.

O almirante destaca um subalterno para mostrar ao jovem as instalações militares. O clima, dentro da embarcação, é de tensão. Está começando no Rio Grande do Sul a Revolução Federalista, que se estenderia até 1895, provocando a morte de pelo menos 12 mil pessoas.

A Revolução Federalista foi uma sangrenta luta em que, de um lado, estavam os federalistas, também chamados de "maragatos", liderados pelo ex-monarquista e parlamentarista José Gaspar Silveira Martins. Eram comandados nas batalhas por um militar rebelde criado no Uruguai, Gumercindo Saraiva, que falava apenas o castelhano.

Do outro lado, estavam os republicanos, apoiados pelo governo federal e liderados pelo presidente do estado do Rio Grande do Sul, Júlio de Castilhos. Eram chamados de "pica-paus" ou "castilhistas".

No plano político, os federalistas almejavam a deposição de Castilhos e a suspensão da Constituição do Rio Grande do Sul promulgada por ele. Queriam a troca do presidencialismo pelo parlamentarismo e esperavam que o movimento revolucionário gaúcho engrossasse conspirações em andamento no Exército e na Marinha, para derrubar o presidente da República, Floriano Peixoto.

Além do plano político, a revolução tinha motivações econômicas: os grandes proprietários rurais da fronteira com o Uruguai, apoiados por comerciantes de Porto Alegre, Pelotas e Rio Grande, eram contrários à política de repressão ao contrabando, levada a cabo pelos governos federal e estadual, desde 1890.

Um contrabando "miúdo" – como descreveu o historiador Mário Maestri – servia como meio de sobrevivência para milhares de gaúchos e uruguaios, que viviam na fronteira entre os dois países.

Frequentemente, o gado de fazendas de brasileiros localizadas no Uruguai era charqueado no Rio Grande do Sul e depois exportado pelo porto de Montevidéu. Ao mesmo tempo, produtores de arroz, cachaça, erva-mate, feijão e fumo, estabelecidos na fronteira, vendiam seus produtos no rio da Prata. A repressão ao contrabando mexia diretamente no bolso e na subsistência dessas pessoas.

Os republicanos, ou "castilhistas", diziam-se defensores do progresso e do Estado moderno. Para eles, a crise econômica do Rio Grande do Sul era consequência da saturação de um modelo de crescimento baseado apenas na atividade pastoril. Na análise dos republicanos, não havia possibilidade de expansão do mercado consumidor nacional para o charque. Pretendiam, então, uma diversificação da produção gaúcha, voltada para o mercado nacional e regional, que assegurasse a tão desejada autonomia do estado.

Com o apoio de tropas federais e, sobretudo, com a atuação da recém-implantada Brigada Militar – o primeiro exército sul-rio-grandense, com mais de 1.200 homens na ativa –, os republicanos acabaram dizimando os federalistas.

Do lado dos legalistas, ou seja, dos que apoiavam o governo, havia um exército profissional, formado por oficiais de carreira armados com o que existia de mais moderno. Os revolucionários, por sua vez, eram estancieiros do sul do estado e da serra, à frente de seus peões e agregados, empunhando armamentos precários.

A vitória dos legalistas fez despontar nacionalmente uma liderança até então regional, a do republicano Pinheiro Machado, que, mais tarde – já como senador da República –, João Cândido conheceria tão bem.

Ao mesmo tempo que o conflito explode no Rio Grande do Sul, no plano nacional a Armada se volta contra o governo de Floriano Peixoto. Floriano era o segundo presidente da República, que substituíra o marechal Deodoro da Fonseca – de quem era vice quando este renunciou ao cargo.

A primeira fase da República foi marcada por fortes oposições ao regime nos estados, o que fez Deodoro renunciar para evitar uma guerra civil. Floriano, por sua vez, também encontrou resistências estaduais como a ocorrida no Rio Grande do Sul.

Quando eclodiu a Revolta da Armada, no Rio de Janeiro, a situação agravou-se ainda mais. Os dois movimentos, dos federalistas e da armada, acabam por se unir, gerando graves problemas para o Governo, que ambos queriam derrubar.

A Revolta da Armada tinha como líder o próprio ministro da Marinha de Floriano, Custódio José de Melo, que aspirava à candidatura presidencial. Diante da indicação de Prudente de Morais, um civil, para o cargo, o ministro incitou as Forças Armadas a se revoltarem.

Aconselhado por amigos a deixar o Palácio do Governo, ameaçado pelos canhões da esquadra rebelde, Floriano retrucou dizendo: "Desta cadeira só duas forças são capazes de me arrancar: a lei ou a morte".

Apoiado pelo Partido Republicano Paulista, que lhe dera ajuda financeira e humana, o presidente trocou o comando da Marinha e conseguiu se manter no poder, esmagando à bala os movimentos oposicionistas.

A vitória sobre os revolucionários rendeu a Floriano o título de consolidador da República, pois fora ele quem tomara, pessoalmente, todas as decisões importantes no combate aos opositores. Para poder mandar ordens e receber mensagens durante a noite, chegou a aprender até o manejo do telégrafo e passou madrugadas controlando seus homens.

As duas revoltas, a do Rio Grande do Sul e a da Armada, acabam desfalcando os quadros da Marinha brasileira. É o momento propício para João Cândido ingressar na vida militar.

Em 1894, quando completa 14 anos, o jovem filho de ex-escravos apresenta-se na Escola de Aprendizes-Marinheiros do Rio Grande do Sul. Alista-se com o número 40.

Chega a Porto Alegre com uma recomendação escrita do delegado da Capitania do Porto: "Atenção especial". Esse cuidado deve-se ao seu velho amigo e protetor de Rio Pardo, almirante Alexandrino de Alencar, que o encaminha ao delegado. Assim, João Cândido ingressa na Marinha de forma bastante incomum já que, nesse período, os aprendizes de marujos são, na maior parte das vezes, recrutados pela polícia.

Um ano depois, em 1895, no dia 10 de dezembro, João Cândido é destacado para o Rio de Janeiro e entra efetivamente para a Marinha, como praça da 40ª Companhia do Corpo de Marinheiros Nacionais. Está com apenas 15 anos, mas, nessa época, é permitida a entrada de menores nas Forças Armadas.

No mesmo mês de dezembro, cumpre determinação para servir na tripulação do cruzador *Andrada*, que está com falta de homens em função da revolta do ano anterior. Serve no navio por um ano, 11 meses e 17 dias, tomando parte em exercícios e pequenas manobras.

Logo de início, João Cândido destaca-se dos demais marinheiros por seu espírito de liderança. Por ter entrado na Marinha com uma recomendação, passa a ser requisitado para desempenhar o papel de interlocutor do grupo junto aos oficiais. Torna-se um apaziguador das brigas e dos conflitos internos nos navios. Procura resolver os problemas dos outros. Chega a comandar pessoalmente a transferência de marujos malvistos pela guarnição.

Depois do *Andrada*, serve por cinco anos no encouraçado *Riachuelo*. Aos 20 anos, João Cândido já é instrutor de aprendizes-marinheiros. Em outubro de 1900, vai a Montevidéu e Buenos Aires, na viagem que leva o novo presidente da República, Campos Sales, à Argentina. O Brasil busca se aproximar daquele país, e Campos Sales viaja para retribuir a visita feita um ano antes pelo presidente argentino, Júlio Roca, ao Rio de Janeiro. Em Buenos Aires, Campos Sales dirige mensagem ao Chile, congratulando-se pela recente aproximação entre Argentina e Chile, na qual teve importante papel e que, segundo ele, "reforça a solidariedade sul-americana". Anos mais tarde, João Cândido diria que se sentiu orgulhoso de fazer parte da visita oficial de um presidente da República a outro país.

Nos primeiros anos do novo século, João Cândido é destacado para uma missão de demarcação de terras no norte do país. O Brasil havia entrado em conflito com a Bolívia, em uma disputa pelo território do Acre, economicamente importante para os dois países, em função dos seringais e da extração da borracha.

O governo brasileiro requisita voluntários para o serviço na mata, e João Cândido se candidata. Aceita a missão para pôr fim ao desentendimento que tivera com outro marujo do *Riachuelo*, que o acusara de "bajulador de oficiais", pela sua constante proximidade com os superiores.

Segue para Belém e Manaus no *Jutahy*, um pequeno navio sem armamento, destinado a transmitir ordens e mensagens entre embarcações.

De Manaus, ruma para o Acre (território boliviano na época), onde a disputa armada já está no final, mas ainda existem resquícios de conflito. O jovem marinheiro presencia na mata o final da luta armada, que culminaria no massacre e na prisão das tropas bolivianas.

Impressiona-se – como revelaria anos depois – com o fato de estarem lutando, lado a lado, soldados bolivianos e oficiais de alta patente do Exército daquele país. Se no Brasil a oficialidade restringia-se a decisões de gabinete, ficando as agruras do campo de batalha restritas aos soldados, João Cândido descobria ali outra forma de organização, uma cumplicidade entre comandantes e comandados diante do mesmo ideal. Assiste à prisão de José Manuel Pando, presidente da Bolívia, que fora comandar pessoalmente as tropas.

É o final da campanha de Plácido de Castro, gaúcho que chegara ao Acre em 1899 para se dedicar à exploração da borracha e que acabou liderando os brasileiros instalados no território, a fim de expulsar os bolivianos que lutavam pela posse da região. Com a derrota destes, Plácido de Castro assume a chefia do governo provisório e, mais tarde, exerce o cargo de prefeito interino do Acre.

Vivendo onze meses na floresta Amazônica, na missão militar de demarcação de terras, sob a chefia de um coronel do Exército, João Cândido passa por grandes privações.

A alimentação é escassa, a umidade parece "penetrar na alma". Acaba por contrair tuberculose pulmonar. É transportado em estado grave para o Hospital da Marinha, no Rio de Janeiro, onde fica por noventa dias.

Depois de aparentemente curado da tuberculose, que voltaria a acometê-lo em episódios recorrentes por toda a vida, João Cândido ainda presta serviços de fiscalização na fronteira com o Peru, sob o comando do capitão-tenente Amâncio dos Santos, e serve no *Tiradentes*, em missão no Paraguai. Faz parte das tripulações do *Benjamin Constant* e do *Primeiro de Março*. Durante alguns meses, serve ainda na base de Ladário, em Mato Grosso, e em seguida é destacado para uma viagem à Europa.

Dezembro de 1909. Estaleiros de New Castle, na Inglaterra. Em uma manhã fria, reunidos em um barracão que serve de depósito, João Cândido e um grupo de marinheiros brasileiros assistem, pela primeira vez na vida, a uma reunião sindical.

A tradução do que se fala é feita por um dos funcionários do estaleiro, filho de portugueses. Os brasileiros sorvem suas palavras como alunos aplicados. Já como marinheiro de primeira classe, João Cândido, aos 29 anos, fora para a Europa, no *Benjamin Constant*, para assistir à construção do encouraçado *Minas Gerais*, encomendado pela Marinha brasileira ao famoso fabricante Vickers-Armstrong. Os marinheiros brasileiros acompanham a montagem final do navio.

O grupo de marujos segue para a Inglaterra – inclusive João Cândido – com a missão de aprender o manejo da nova embarcação. Ao mesmo tempo que os habilita, transformando-os em peritos foguistas, mecânicos e eletricistas, a viagem à Europa serve para criar neles uma consciência política até então desconhecida.

Os brasileiros conhecem um dos mais politizados e organizados proletariados existentes no mundo. Na Inglaterra, tomam conhecimento do forte movimento pela melhora da situação do pessoal que vive nos conveses de baixo, levado a cabo pelos marinheiros ingleses entre os anos de 1903 e 1906, com a ajuda da imprensa britânica.

Os marinheiros ficam sabendo também da revolta ocorrida em 1905, na Marinha russa, quando os marujos do encouraçado *Potemkin* se rebelaram contra a má alimentação servida a bordo. Essa história de heroísmo ganharia fama mundial.

Motivados por esse clima, os marujos brasileiros, dentre eles João Cândido, iniciam reuniões para discutir a situação da nossa Armada. Na Marinha brasileira, a jornada de trabalho é desumana; a remuneração e a alimentação são péssimas. Além disso, são comuns chibatadas em quem infringi qualquer norma interna. A violência como forma de disciplina é prática geral nas Forças Armadas Brasileiras, desde a Guerra do Paraguai, que se estendeu de dezembro de 1864 a março de 1870. Nessa ocasião, a população brasileira era de aproximadamente dez milhões de pessoas, das quais uma quarta parte constituída de escravos; estes tiveram presença marcante no conflito. Lutaram à força, sob castigos e ameaças.

A chibata, na verdade, fora herdada no Brasil dos portugueses, mantida depois pelos oficiais ingleses, os primeiros comandantes da nossa esquadra naval. Os castigos têm a função de educar na marra os supostos maus elementos que compõem os quadros inferiores das Forças Armadas. Como diz Adolfo Ferreira dos Santos, um ex-marinheiro contemporâneo de João Cândido, "as chicotadas e lambadas que levei quebraram meu gênio e fizeram com que eu entrasse na compreensão do que é ser cidadão brasileiro".

Na própria Marinha inglesa, no século XVIII e início do século XIX, os castigos eram ainda mais bárbaros. Decepavam as mãos dos faltosos, até os afogavam em alguns casos. Entretanto, em 1881, os castigos foram abolidos nesse país – com uma circular definitiva do Almirantado – e nunca mais utilizados.

No período em que passa na Inglaterra, João Cândido fica impressionado com o melhor tratamento, sob todos os aspectos, dado aos marinheiros britânicos. Nessa temporada, adquire noções de inglês e acaba recebendo importantes lições de navegação. Conhece a fundo todo o mecanismo de funcionamento do *Minas Gerais* e, depois do aprendizado, já é capaz de conduzi-lo com mestria. Até então, na Marinha brasileira, esse aprendizado era exclusivo dos altos oficiais e nenhum marinheiro tivera essa oportunidade.

A Marinha brasileira havia sido relegada ao abandono depois da Guerra do Paraguai. Sem atritos externos e não havendo mais os constantes problemas internos, como a Revolução Federalista e a Revolta da Armada, o governo praticamente parou de investir no reaparelhamento da frota de guerra.

Nos governos de Campos Sales e, sobretudo, de Rodrigues Alves, quando as finanças do país ficam em ordem, os ocupantes do Palácio do Catete resolvem investir em uma nova frota e vão de um extremo a outro.

A compra desses navios coloca o país em posição de destaque internacional, e o Brasil passa a ser a terceira potência naval do mundo. Ocorre que não há nenhuma guerra iminente e, portanto, nenhuma razão aparente para a aquisição.

Os marinheiros, por sua vez, consideram a compra uma afronta, perante a situação de penúria a que estão relegados, com salários defasados e péssimas condições de trabalho a bordo. Os gastos astronômicos com os novos navios adiam, uma vez mais, o proclamado plano de carreira que elevaria os soldos dentro da Marinha.

O processo de reaparelhamento da frota ganha impulso quando o almirante Júlio de Noronha, ministro da Marinha no mandato de Rodrigues Alves, elabora um plano naval – mais tarde apresentado como projeto de lei ao Congresso Nacional pelo deputado Laurindo Pita.

O plano naval, aprovado pelo Congresso Nacional em 14 de dezembro de 1904, autoriza o governo a encomendar três encouraçados de 12.500 a 13 mil toneladas de deslocamento; três cruzadores encouraçados de 9.200 a 9.500 toneladas de deslocamento; seis caças-torpedeiros de 400 toneladas de deslocamento; seis torpedeiros de 130 toneladas de deslocamento; seis torpedeiros de 50 toneladas de deslocamento; três submarinos; e um transporte para carregar 6 mil toneladas de carvão.

Esse plano naval, que já é extremamente ambicioso para um país ainda atrasado e longe de um processo de industrialização como o Brasil, é ainda modificado e superado no governo de Afonso Pena. Por meio do Decreto nº 1.563, de 23 de novembro de 1906, o governo determina que seja "aumentado o deslocamento dos encouraçados e caça-torpedeiros e substituídos os cruzadores encouraçados por extrarrápidos".

A Inglaterra, com quase cem anos de *know-how* na Marinha de Guerra e país de origem dos novos navios brasileiros, só tem na época um *dreadnought* (grande encouraçado de guerra), enquanto o Brasil adquire três.

A reposição da esquadra, entretanto, não é acompanhada por um reaparelhamento nos quadros da Marinha. A maior parte de seus elementos ainda é recrutada pela polícia, sendo formada principalmente por analfabetos, controlados por um regime disciplinar desatualizado, na base da chibata. Logo, se por um lado os equipamentos adquiridos são os mais modernos do mundo, por outro, o despreparo de grande parte de nossos marinheiros é evidente. O estágio a que são submetidos alguns desses marinheiros na Inglaterra não é suficiente para suprir as necessidades que surgem no trato com os novos navios, sobretudo nos campos da eletricidade, da hidráulica e da mecânica.

O *Jornal do Commercio*, periódico diário do Rio de Janeiro, faz, nessa época, uma campanha para que seja contratada uma missão estrangeira – denominada "a grande missão" – para ensinar a Marinha brasileira a operar a nova esquadra.

A campanha ofende alguns setores das Forças Armadas. No Clube Naval, é convocada uma Assembleia Geral para "desagravar os brios da Armada Nacional da maneira insólita com que foi tratada por um órgão de imprensa".

Somente 73 dos 500 associados comparecem e, mesmo assim, em segunda convocação. Duas moções são apresentadas: uma propõe enérgico protesto. A outra, que sai vitoriosa, aconselha que nada se delibere, "para não assumir atitude que possa trazer irritação de ânimos". A moção vitoriosa praticamente endossa as críticas da imprensa e demonstra que os próprios oficiais da Marinha admitem o despreparo diante da nova esquadra.

Entre os votantes vitoriosos da segunda moção, aparecem nomes de oficiais que iriam ter destaque, alguns de maneira trágica, na rebelião dos marinheiros que se aproximava, tais como: Anfilóquio Reis, Mário Lahmayer, Milcíades Portela Ferreira Alves, José Cláudio da Silva Junior, Alberto Lemos Bastos e Pedro Max Frontin.

Em janeiro de 1910, João Cândido e os demais marinheiros brasileiros que estão na Inglaterra acompanham a primeira viagem do *Minas Gerais*, da Europa para Hampton Roads, nos Estados Unidos, passando antes por São Miguel, nos Açores.

O encouraçado fora encarregado de fazer o comboio do cruzador norte-americano *North Caroline*, que traria dos Estados Unidos para o Brasil os despojos de Joaquim Nabuco, morto em Washington, em 17 de janeiro, no cargo de embaixador do Brasil.

Nabuco fora o primeiro embaixador brasileiro nos Estados Unidos e teve grande atuação em Washington, tornando-se amigo pessoal do presidente Theodore Roosevelt e, sobretudo, do secretário de Estado Elihu Root, que conseguiu trazer ao Rio de Janeiro para a III Conferência Pan-americana, em 1906. Como embaixador em Washington, Nabuco passara cinco anos fazendo conferências de propaganda do Brasil e da língua portuguesa, que depois traziam resultado nas relações comerciais entre os dois países. Pouco antes de morrer, em 1909, chefiara a embaixada especial nas festas de restauração do governo nacional de Cuba, em Havana.

Na preparação da viagem fúnebre, o *Minas Gerais* passa apenas dois dias em Hampton Roads e, no terceiro, ruma para o Brasil acompanhando o corpo de Joaquim Nabuco. Os dias nos Estados Unidos são de passeio, descanso e de limpeza do navio, que seria inaugurado oficialmente no Brasil. Já na viagem de volta, ocorre a costumeira comemoração a bordo ao se cruzar a linha do Equador, e João Cândido é escolhido pela guarnição do *Minas Gerais* para representar o deus Netuno.

Com os galões de comandante pregados no punho do uniforme, João Cândido desempenha bem seu papel. Ser o deus Netuno é uma distinção só concedida a praças respeitados pela guarnição. João Cândido consolida, assim, sua liderança entre a marujada, e o movimento conspiratório iniciado por ele na Inglaterra, contra os maus-tratos dentro da Marinha brasileira, ganha força. Grande parte dos marinheiros já tem consciência de que algo precisa ser feito para mudar aquela dura realidade.

Já em território brasileiro, o *Minas Gerais* deixa o *North Caroline* fora da barra e segue para Ilha Grande, onde recebe a necessária limpeza para poder entrar, triunfalmente, no Rio de Janeiro.

No dia 18 de abril, às dez horas da manhã, o navio ruma para a Baía de Guanabara. Sob salvas de canhões, em uma festividade jamais vista na Marinha brasileira, adentra o novo orgulho do país, o navio *Minas Gerais*, símbolo da soberania nacional.

Milhares de pessoas se aglomeram na beira do cais, com lenços brancos nas mãos, dando vivas à nova embarcação. Barcos e navios de todas as formas e tamanhos fazem um corredor para o *Minas Gerais* passar. Dois navios estrangeiros, o *North Caroline* e o *Kaiser Karl VI*, também estão postados para a saudação.

Nos porões do *Minas Gerais*, entretanto, uma realidade distinta se desenvolve. Não há festas, não há risos, não há o que comemorar. A cada dia cresce o descontentamento entre os marinheiros. Está próxima a hora da grande virada.

O Rio de Janeiro, em 1910, tem uma população de mais de um milhão de habitantes. A fachada colonial da cidade começara a ser modernizada pelas mãos do prefeito Pereira Passos. Entre suas principais obras, destacam-se a construção do Teatro Municipal e a abertura da Avenida Central.

O tradicional *footing* de rapazes e moças, antes praticado no Flamengo, passa, agora, à nova avenida. Homens de ternos bem cortados, colete branco, luvas, bengala, polainas, chapéu-coco, ou mesmo de fraque, sobrecasaca e cartola; mulheres com roupas de seda exalando perfumes franceses. O Rio adquire ares cosmopolitas.

Os bondes ganham tração elétrica, em substituição à animal. O primeiro automóvel da cidade fora licenciado há sete anos (precisamente em 29 de agosto de 1903), mas os carros com motores ainda são raros nas ruas. Ao lado de Pereira Passos, que remodelara a cidade, Oswaldo Cruz reorganizara os serviços de saúde pública. O Rio de Janeiro se civiliza.

É a época do famoso Cabaré Mignon, que empolga a população masculina com fantásticas mulheres vindas da Europa. As polacas e francesas são as preferidas.

No quadro político, o país está em efervescência desde que Nilo Peçanha assumira a Presidência da República, com a morte do presidente Afonso Pena, em 14 de junho de 1909.

Seu mandato findaria em 15 de novembro de 1910, e já existem dois candidatos ao cargo. O da situação e o do caudilho

Pinheiro Machado – o mesmo senador pelo Rio Grande do Sul que ajudara a dizimar a Revolução Federalista e ganhara poder nacional – é o marechal Hermes da Fonseca. Pela oposição, há a candidatura civilista do senador Rui Barbosa.

Antes dessa disputa, as demais sucessões presidenciais foram resolvidas no Brasil por consenso entre as elites políticas da chamada República Velha. Jamais existira a necessidade de um embate eleitoral. Mesmo quando surgiam divergências, um candidato único era sempre encontrado nas costuras e nos alinhavos políticos. Nessa eleição, isso não funciona.

Ainda no governo de Afonso Pena, o candidato natural à sucessão presidencial era o presidente do estado de Minas Gerais, João Pinheiro, que desenvolvia um governo respeitado e era elemento de ligação entre o presidente da República e Bias Fortes, principal líder da política mineira.

Na madrugada de 25 de outubro de 1908, João Pinheiro morre prematuramente, vítima da moléstia de Hodgson. Transforma-se todo o quadro político nacional: o presidente Afonso Pena apressa-se em deslanchar a candidatura de seu ministro da Fazenda, Davi Campista.

Inicia-se, então, uma violenta campanha contra essa candidatura, nas páginas do jornal *O Paiz*, cujo proprietário, João Lage, é amigo do senador Pinheiro Machado. O senador, principal líder do Congresso Nacional, reúne em torno de si os representantes da maioria dos estados brasileiros que não tinham voz ativa no governo de Afonso Pena. Até o vice-presidente Nilo Peçanha, rompido com Afonso Pena, é partidário de Pinheiro Machado.

Lage tem motivos particulares para não gostar de Campista, já que havia lhe solicitado, em vão, o cancelamento das dívidas públicas do jornal.

Diante da pouca aceitação do nome de Davi Campista, sobretudo pela campanha promovida por *O Paiz*, surge a necessidade da criação de uma nova candidatura.

Pinheiro Machado, inicialmente, tenta articular um nome de consenso com o presidente da República. Com a recusa de Afonso Pena, que insiste em apoiar Campista, o senador resolve embarcar em outra candidatura que estava em gestação dentro das Forças Armadas, assumindo-lhe a paternidade.

Trata-se do então ministro da Guerra, marechal Hermes da Fonseca, detentor de grande popularidade pela política de reorganização do Exército por ele implantada. Durante o governo de Afonso Pena, grande parte do orçamento da União fora canalizada para a modernização do Exército. Compraram-se equipamentos sofisticados no exterior, instituíram-se no país os tiros de guerra e o serviço militar obrigatório. Com o prestígio alcançado pelo ministro, a oficialidade deseja levá-lo à Presidência da República.

Ao saber da articulação política em torno do nome de Hermes da Fonseca, o presidente Afonso Pena o convoca e exige um desmentido formal da sua candidatura. O ministro responde com seu pedido de demissão, em 14 de maio de 1909.

A candidatura de Hermes da Fonseca torna-se, então, irreversível, sobretudo com a adesão do grupo de Pinheiro Machado, à exceção de Rui Barbosa. Este renuncia à vice-presidência do Senado em 22 de maio de 1909, em protesto contra a candidatura do marechal.

Com isso, Davi Campista está definitivamente afastado do embate político. Em 22 de maio de 1909, sob a liderança de Pinheiro Machado, o nome de Hermes da Fonseca é aprovado em convenção. À exceção dos partidos situacionistas de São Paulo, Bahia e Rio de Janeiro, todos os estados brasileiros declaram seu apoio ao militar.

Os estados dissidentes começam a articular, então, o lançamento de uma candidatura civil para enfrentar Hermes da Fonseca nas urnas. Convoca-se para 22 de agosto de 1909 uma convenção nacional para a escolha de um nome.

Em 14 de junho, morre o presidente Afonso Pena e, com ele, o sonho dos civilistas de ver uma candidatura apoiada pelo Catete para enfrentar Hermes da Fonseca.

O vice-presidente, Nilo Peçanha, assume a presidência e passa a apoiar, maciçamente, a candidatura militar do bloco de Pinheiro Machado. De situacionista, a candidatura dos civilistas passa a oposicionista, com minguadas chances de vitória nas urnas.

Durante os meses em que a campanha sucessória mobiliza o país, cresce entre os marujos a insatisfação com o tratamento que lhes é dispensado pela oficialidade.

Em uma tarde de 1910, a bordo do *Minas Gerais*, João Cândido recebe o aviso de que deverá comparecer ao Palácio do Governo para uma audiência com o presidente da República. A mensagem, trazida por um ajudante de ordens da Presidência, causa alvoroço entre a marujada. Jamais um marinheiro tivera tamanha regalia.

A explicação para o convite está na indisciplina generalizada entre os marujos, sobretudo depois da milionária renovação da frota e do adiamento do proclamado plano de carreira, que aumentaria o soldo dos praças e traria outras modificações para a armada.

O clima é de revolta e o governo, que tem como ministro da Marinha o almirante Alexandrino de Alencar, antigo protetor de João Cândido em Rio Pardo, quer tornar o marinheiro um aliado, já que é conhecida sua liderança entre a marujada.

João Cândido tem certa simpatia pelo presidente Nilo Peçanha, tanto que, ainda na Inglaterra, havia desenhado a carvão o perfil do vice que assumira a presidência. A notícia do desenho chegara aos ouvidos do ministro Alencar que, durante a cerimônia de inauguração do *Minas Gerais*, fez questão de apresentar o marinheiro de Rio Pardo ao presidente, que visitava o navio com todo seu ministério.

A audiência no Palácio do Catete é marcada com o pretexto de nela ser entregue oficialmente o desenho ao presidente. No dia marcado, com seu uniforme mais novo, João Cândido é recebido no Salão Amarelo, gabinete no qual o presidente despacha.

Depois da entrega do presente, Nilo Peçanha parte para o que mais lhe interessa: "Sabemos da sua liderança e queremos tê-lo como um aliado dentro do *Minas Gerais*". É o bastante para que o marinheiro, tomado pelas lições adquiridas com os sindicalistas ingleses, dispare: "Em nome de toda a marujada, quero aproveitar a oportunidade e pedir ao senhor o fim da chibata, que tanto humilha nossa categoria".

Há certo constrangimento, mas, com a intervenção do ministro Alexandrino de Alencar, que passa a relembrar os tempos de Rio Pardo, a audiência prossegue com amenidades. A partir desse dia, o ministro Alexandrino percebe que seu antigo pupilo encontra-se alinhado com os revolucionários e lava as mãos sobre seu futuro. Não pode fazer mais nada para protegê-lo. Até porque seu mandato está terminando e não pretende continuar no cargo com o próximo presidente.

No quadro de pessimismo causado pela morte do presidente Afonso Pena, os civilistas saem à cata de um nome nacional que possa enfrentar o gigante Hermes da Fonseca na eleição presidencial. O senador Rui Barbosa cede aos apelos e aceita candidatar-se, com a condição de ter na chapa como vice o presidente de São Paulo, Albuquerque Lins.

Em 22 de agosto de 1909, acontece a convenção civilista, no Teatro Municipal do Rio de Janeiro, com a presença de uma massa humana jamais vista nesse tipo de ato político.

A partir de então, a campanha eleitoral ganha força e atinge proporções inimagináveis. As ruas das principais cidades são tomadas pela agitação dos comícios, e as galerias da Câmara e do Senado lotam diariamente com o público.

No plenário da Câmara, ocorre o incidente mais grave registrado na campanha. Um popular, que se diz pertencente à polícia, fere à bala o deputado civilista Irineu Marinho, no momento em que este faz um aparte ao hermista Jesuíno Cardoso. A briga toma conta das galerias e acaba transferida para as ruas da cidade, transformadas, por algumas horas, em verdadeira praça de guerra.

No interior do Brasil, a campanha também pega fogo. Em Barbacena (MG), a polícia mineira atira em estudantes durante manifestação anti-hermista, ferindo vários deles.

O candidato militar Hermes da Fonseca sai, enfim, vitorioso das eleições presidenciais. Desde a morte de Afonso Pena, a campanha de Hermes tem seus resultados assegurados. Nas grandes cidades do país e entre o eleitorado mais consciente, entretanto, o nome de Rui Barbosa é aclamado. No Rio de Janeiro, a população vota maciçamente no candidato civilista.

Em uma fraude eleitoral, o governo consente que deixem de funcionar todas as seções eleitorais em que se poderia prever a vitória das candidaturas civilistas. Em muitas dessas seções, os eleitores encontram as portas fechadas. Das noventa seções eleitorais do Rio de Janeiro, apenas 27 funcionam normalmente. Mesmo assim, dos 4.526 votos apurados na capital federal, 67,7% – ou seja, 3.066 votos – são de Rui Barbosa.

Em junho de 1910, o Brasil manda três navios aos festejos do Primeiro Centenário da Independência do Chile. Zarpam do Rio de Janeiro os navios *Bahia*, *Tamoio* e *Timbiras*. O clima entre os marujos continua de revolta e indisciplina.

Na Argentina, à saída de Bahía Blanca, o marujo Antenor Silva recebe 25 chibatadas dentro do *Bahia*, por desrespeito à autoridade. Havia bebido cachaça a bordo. Os castigos corporais continuam e, ao longo da viagem, que só terminaria em 19 de novembro, são registradas 911 faltas disciplinares entre os 288 praças a bordo. Oito marinheiros do *Bahia* acabam enquadrados na Correcional, uma espécie de corregedoria que tem o objetivo de julgar e punir os subalternos da Marinha. Motivo da punição: além de consumo de bebida alcoólica, jogo a dinheiro durante a viagem, depois do toque de recolher.

Forma-se entre os marinheiros um comando-geral, que se reúne nos porões para discutir o que fazer contra os maus-tratos. Em terra, no mesmo período, João Cândido instala um comitê que passa a funcionar em três lugares: em um sobradinho da rua Tobias Barreto, 65, próximo à praça Tiradentes; no "Jogo da Bola", no bairro da Saúde; e na rua dos Inválidos, 71, em uma vila em frente a uma delegacia de polícia.

Durante a viagem ao Chile, na passagem do Estreito de Magalhães, rumo ao Pacífico, surge o primeiro sinal, no navio *Bahia*, de que os marinheiros estão organizados contra os maus-tratos. É colocada uma carta embaixo da porta do camarote do comandante, assinada por alguém que se denomina "Mão Negra". Traz o seguinte texto: "Venho por meio destas linhas pedir não maltratar a guarnição deste navio, que tanto se esforça para trazê-lo limpo. Aqui ninguém é salteador, nem ladrão. Desejamos paz e amor. Ninguém é escravo de oficiais e chega de chibata. Cuidado".

Esses episódios na viagem ao Chile fazem despontar dois líderes entre os marinheiros do *Bahia*: Ricardo Freitas, estimado por toda tripulação graças à sua coragem, e Francisco Dias Martins, o "Mão Negra", tido como o mais culto entre os marujos por ser, em terra, presidente de uma sociedade literária de um bairro do subúrbio.

Paralelamente a esses acontecimentos, no navio *São Paulo* e no encouraçado *Deodoro* – além de João Cândido, no *Minas Gerais* – surgem novas lideranças. No *São Paulo*, o movimento de revolta tem como líder o cabo Gregório do Nascimento e, no *Deodoro*, o coordenador é o cabo André Avelino.

Praça de artilharia na praia de Santa Luzia, em dezembro de 1910, durante a revolta nas ilhas das Cobras.

Guarnição do "São Paulo", no dia em que terminou o levante.

2. A Revolta da Chibata

Madrugada de 16 de novembro. A Guanabara está repleta de navios estrangeiros que aportam trazendo autoridades para a posse do marechal Hermes da Fonseca na Presidência da República. Ao raiar do dia, toda a tripulação do *Minas Gerais* é chamada ao convés para assistir aos castigos corporais a que será submetido o marinheiro Marcelino Rodrigues Menezes. Na noite anterior, ele ferira a navalhadas o cabo Valdemar Rodrigues de Souza, que o havia denunciado por tentar introduzir no navio duas garrafas de cachaça. Sua pena: 250 chibatadas e não mais 25, como vinha acontecendo.

O *Minas Gerais* conta com uma tripulação de 887 praças e 107 oficiais. Também fazem parte da tripulação oito carrascos oficiais. Depois de ser examinado pelo médico de bordo e considerado em perfeitas condições físicas, o marinheiro Marcelino Menezes, também conhecido como "Baiano", é amarrado pelas mãos e pés e submetido ao castigo.

Primeiro soam os tambores. Em seguida, o comandante do navio, Batista das Neves, ordena a entrada dos carrascos, na presença de todos os marinheiros. Os homens encarregados das chibatas apanham uma corda de linho e amarram nas pontas pequenas agulhas de aço, das mais resistentes.

A guarnição entra em formação. Vem o marinheiro faltoso, algemado. O comandante, depois do toque de silêncio, lê uma proclamação. Tiram as algemas das mãos do marujo e o suspendem, nu da cintura para cima, no pé de carneiro, uma espécie de ferro que se prende em um corrimão. Os oficiais assistem à cerimônia em segundo uniforme, com luvas e armados de suas espadas. Muitos viram o rosto para o lado, para não ver a tortura.

Durante o castigo, Marcelino Menezes desmaia de dor, mas a surra continua. Ao fim das 250 chibatadas, suas costas estão banhadas em sangue, lanhadas de cima a baixo. Desacordado, ele é desamarrado, embrulhado em um lençol e levado aos porões. Lá, jogam iodo em suas costas e o deixam estrebuchando no chão.

Naquela mesma noite, os marinheiros do *Minas Gerais*, recolhidos em seus beliches, decidem que a situação não pode continuar dessa forma.

"Isso vai acabar", promete João Cândido aos colegas. Com 30 anos de idade, é o líder absoluto da revolta que se aproxima.

Já está praticamente acertada a revolta dos marujos, que tomariam à força o comando dos principais navios da esquadra brasileira, onde já há um movimento organizado.

Na reunião dos conspiradores do dia 13 de novembro, no sobrado da rua dos Inválidos, 71, Gregório do Nascimento chega a propor que a revolta seja deflagrada no dia seguinte, quando haveria revista naval e a esquadra incorporada sairia da barra para encontrar-se com o navio *Rio Grande do Sul*, no qual viajava o presidente eleito Hermes da Fonseca.

A ideia de Gregório é apanhar a bordo não só o presidente como o maior número de oficiais da Marinha, para que a reivindicação ganhe força. Dias Martins, o líder intelectual, toma a palavra e diz aos companheiros que a proposta de Gregório não pode ser aceita, porque dará ao movimento uma conotação política, quando o que pretendem é apenas o fim dos maus-tratos e da chibata.

Dias Martins, ponderado, argumenta que não interessa a eles quem é o presidente, nem qual é o regime de governo, contanto que os marinheiros não sejam tratados como escravos. A proposta de Gregório é então recusada e fica acertada outra data para o início da revolta. Anos depois, em um depoimento ao jornalista Edmar Morel, João Cândido narrou como fora planejada a reação dos marinheiros:

> Pensamos no dia 15 de novembro. Acontece que caiu forte temporal sobre a parada militar e o desfile naval. A marujada ficou cansada e muitos rapazes tiveram permissão para ir à terra. Ficou combinado, então, que a revolta seria entre 24 e 25. Mas o castigo de 250 chibatadas no Marcelino precipitou tudo. O comitê-geral resolveu, por unanimidade, deflagrar o movimento no dia 22.

Noite de 22 de novembro. O sinal combinado entre os marujos para dar início ao movimento é a chamada da corneta das dez horas. O *Minas Gerais*, pelas suas grandes dimensões, tem todos os toques de comando repetidos na proa e na popa. Naquela noite, o clarim não pediria silêncio e sim combate.

Cada um assume o seu posto e a maioria dos oficiais já está em seus camarotes. Não há afobação. Cada canhão é guarnecido por cinco marujos, com ordem de atirar para matar contra todo aquele que tente impedir o levante.

Por volta das dez da noite, o capitão de mar e guerra Batista das Neves, comandante do *Minas Gerais*, que estivera em um jantar a bordo do cruzador francês *Duguay Trouin*, chega ao seu navio em companhia do ajudante de ordens, segundo-tenente Trompowsky. Cumprindo ordens do comandante, o segundo-tenente deixa o superior a bordo e imediatamente parte para terra.

Logo que entra no *Minas Gerais*, o comandante conversa rapidamente com o segundo-tenente Álvaro Alberto da Mota Silva, oficial de quarto, considerado seu protegido, que assiste a faxina da noite no convés.

"Quero encarregá-lo da torre número um", determina o comandante.

"Está bem, até amanhã comandante", responde o segundo-tenente.

Nesse instante, no momento em que desce as escadas inferiores do navio e se despede do comandante, o tenente recebe uma forte pancada no peito, um golpe de baioneta desferido em cheio por um marinheiro que está de tocaia.

O tenente tropeça, mas ainda consegue apoiar-se com a mão esquerda na arma do marujo e com a direita saca sua espada. Com a força que ainda lhe resta, atravessa o estômago do marinheiro. Este, aos gritos, dá alguns passos e cai da escada, provocando grande barulho.

Atraídos pelo ruído, diversos marinheiros revoltosos vão para o convés, para onde sobem também o capitão-tenente Mário Carlos Lahmeyer, o primeiro-tenente Milcíades Portela Alves e o capitão-tenente José Cláudio da Silva, todos procurando conter os revoltosos.

O comandante Batista das Neves, que também viera para o tombadilho, abraça-se ao oficial de quarto – que ainda luta, lavado em sangue – e diz uma frase que até hoje provoca dúvidas: "Mataram meu filho!"

A exclamação do comandante, ao que tudo indica, refere-se ao fato de que o oficial de quarto era uma espécie de apadrinhado de Batista das Neves.

A tripulação revoltada, bradando vivas e aclamando "Liberdade" e "Abaixo a chibata", avança contra o pequeno grupo de oficiais para massacrá-lo.

O capitão-tenente José Cláudio é atingido por um grosso pedaço de ferro no rosto e algumas coronhadas. O tenente Alberto começa a se queixar de dor e diz não querer morrer a bordo. Sente perder as forças e deseja ir para o navio de registro. O comandante, depois de determinar o fechamento da porta encouraçada da praça de armas, manda arriarem a canoa para transportar o oficial ferido ao navio de registro.

Na canoa também vai o tenente Milcíades. Quando estão saindo da pequena porta de descarga de emergência, um marujo tenta impedir que a embarcação zarpe. Milcíades ameaça dar-lhe um tiro e o marinheiro, com medo, permite que sigam rumo ao *São Paulo*.

Milcíades deixa o ferido no *São Paulo*, que ainda não está sob controle dos revoltosos, e pede que sejam tomadas providências com urgência. Segue, então, na mesma canoa, em direção ao Arsenal de Marinha. Quando está na altura do *Minas Gerais*, recebe uma grande descarga de fuzilaria.

"As balas sibilavam pela minha cabeça e diversas vezes senti o vento produzido por elas e o calafrio da morte", disse o oficial, em um depoimento ao comandante H. Pereira da Cunha, que aparece no livreto *A revolta na esquadra brasileira em novembro e dezembro de 1910*, editado em 1953 pela Imprensa Naval. "A guarnição deixou de remar e caiu no fundo do barco, chorando e gritando por mães, irmãos e outros."

No *Minas Gerais*, enquanto Milcíades e o tenente Alberto fogem na canoa, o comandante Batista das Neves ainda tenta, energicamente, acalmar os ânimos e manter a disciplina. Luta de espada em punho com os marujos, por cerca de dez minutos, até cair ferido na cabeça, por golpes de machadinha.

O marujo Aristides Pereira, conhecido como "Chaminé", chega perto do corpo do comandante, certifica-se de que ele está morto e urina sobre seu cadáver. O corpo permanece por algumas horas no convés, e alguns marinheiros chegam a fazer ironia com o comandante morto, imitando movimentos de ginástica à sua volta.

A ironia refere-se ao fato de que o comandante Batista das Neves obrigava os marujos a fazer ginástica pesada todas as manhãs, para compensar a relativa imobilidade física da vida a bordo dos navios. Essa era, ao lado da chibata, a principal queixa contra o comandante.

Às dez para as onze da noite, quando cessa a luta no convés, João Cândido, líder absoluto da revolta, manda disparar um tiro de canhão, sinal combinado para dar o alerta aos outros navios envolvidos. Quem primeiro responde é o *São Paulo*, seguido do *Bahia*. O *Deodoro*, a princípio, fica mudo. O líder ordena ainda que todos os holofotes iluminem o Arsenal de Marinha, as praias e as fortalezas. Expede também um comunicado por rádio para o Catete, informando que a esquadra está amotinada para acabar com os castigos corporais.

Os mortos na luta são colocados sobre mesas, em uma sala transformada em necrotério. Os cadáveres ficam ali para que, no outro dia, com a luz do sol, sejam enviados para terra, a bordo da lancha civil *Santa Leocádia*.

Estabelece-se a bordo a rotina de um navio de guerra. Cada um tem uma função predeterminada. São estabelecidos turnos de trabalho para que um serviço nunca fique desguarnecido.

O capitão-tenente Mário Lahmeyer, quando tenta fugir em uma canoa, ao se afastar do *Minas Gerais*, recebe uma descarga de tiros. Morre naquele instante e seu corpo é recolhido pelo navio *Carlos Gomes*. No *Bahia*, é morto o primeiro-tenente Mário Alves de Souza, que embarcara havia 48 horas e fazia seu primeiro serviço. É o único oficial no navio no momento da revolta e ainda tenta, com um revólver na mão, manter a ordem. Como não consegue, luta com vários marinheiros até matar um deles e ferir gravemente outro. Por fim, é atingido por quatro projéteis disparados pelos rebeldes. Em agonia, ainda diz: "Bandidos. Miseráveis. Vocês mataram um brasileiro".

No *São Paulo*, depois que a guarnição grita vivas à liberdade, uma comissão procura o oficial de quarto, primeiro-tenente Salustiano Lemos Lessa, e comunica-lhe a intenção de aderir ao levante. A comissão pede que os oficiais deixem o navio de maneira pacífica.

Lemos entra em contato com os demais oficiais e informa-os do fato. Apenas um deles, o capitão-tenente Américo Sales de Carvalho, demonstra interesse em resistir e é morto por um marujo. Há também a versão de que o oficial tenha se suicidado ao ver que não poderia reagir aos amotinados. Não há registro preciso de nenhuma das duas versões.

Nesse navio, o tenente Lessa, antes de embarcar para terra, ainda pede à guarnição que proceda com calma: "Se o movimento for criterioso, o Governo saberá fazer justiça. Não promovam estragos no navio, que representa um forte elemento de defesa da Pátria, e evitem bombardear a cidade, que isso só pode trazer calamidades".

No *Deodoro*, ocorre um fato curioso da revolta. Nesse navio, o movimento é deflagrado por um oficial, o primeiro-tenente João Paiva de Novais, que serve no *Bahia* e se encontra no navio de passagem. Novais está no Passeio Público (um dos pontos da vida noturna do Rio, à época) quando estoura a revolta. Ao saber do fato, imediatamente pega uma lancha no cais Faroux e dirige-se para o *Bahia*. Lá chegando, é impedido de entrar pelos rebeldes, que já dominam a embarcação. Sendo assim, vai para o *Deodoro*, que se encontra nas imediações e ainda não aderiu à rebelião.

Ao entrar no *Deodoro*, demonstrando grande excitação e descontrole, Novais diz que a esquadra se rebelará para depor o presidente da República e que cabe ao oficial de serviço, primeiro-tenente Antônio Barbosa Moreira Martins, tomar uma

Fernando Granato

das duas atitudes: içar a bandeira vermelha, aderindo à sublevação, ou bombardear o *Bahia*, que está próximo e reagiria contra todos que não aderissem à revolta.

Como o tenente Barbosa não toma nenhuma atitude, o próprio tenente Novais assume o comando do navio e determina que seja içada a bandeira vermelha. Por causa disso, acaba depois preso e responde ao Conselho de Guerra, perante o qual afirma ter tomado tais atitudes por estar "alcoolizado".

Novais é absolvido e continua na vida militar por mais cinco anos. Nesse período, recebe punições diversas, por não cumprir ordens, por desacato ao imediato, faltas no serviço e por contrair dívidas com a Fazenda Pública e não quitá-las.

Clube da Tijuca. 22 de novembro. O recém-empossado marechal Hermes da Fonseca e todo seu ministério assistem à apresentação da ópera "Tannhauser", de Wagner, em uma inesquecível recepção que ainda faz parte dos festejos pela vitória na eleição presidencial.

Em sua residência, no bairro de Botafogo, João Lage, dono do jornal *O Paiz*, oferece um jantar aos oficiais do *Adamastor*. Os oficiais desse navio de guerra português, que viera especialmente para a posse do novo presidente, já haviam sido homenageados na véspera pelo famoso Circo Spinelli, em uma apresentação de "A vingança do operário", do conhecido palhaço negro Benjamim de Oliveira.

No Teatro Recreio, é encenado "O diabo que o carregue", de João Foca, em homenagem aos marujos do cruzador francês *Duguay Trouin*. Já no Theatro São Pedro, em uma noite de gala dedicada às representações diplomáticas, está no palco o drama de Gabriel D'Annunzio, "La figlia di Jorio".

O estrondo do primeiro tiro de canhão, vindo da direção do mar, faz tremer a cidade do Rio de Janeiro. Nem cinco minutos depois, novo tiro. Dessa vez, janelas e vidraças são quebradas em casas do centro da cidade.

Logo o presidente da República é avisado de que a Marinha está revoltada. Já no Palácio do Catete, de volta da recepção de onde partira imediatamente após os tiros de canhão, o presidente é informado de que a estação de rádio do morro da Babilônia captara a primeira mensagem dos revoltosos: "Não queremos a volta da chibata. Isso pedimos ao presidente da República, ao ministro da Marinha. Queremos resposta já e já. Caso não tenhamos, bombardearemos cidade e navios que não se revoltarem. Assinado: guarnições *Minas*, *São Paulo* e *Bahia*".

Enquanto o dia não amanhece e antes que os primeiros jornais saiam com a notícia – principalmente *O Paiz*, *Diário de Notícias*, *O Jornal* e *Correio da Manhã*, os mais lidos –, a população carioca ainda não tem explicações para os tiros escutados durante a noite e não suspeita que uma revolta fora deflagrada na Marinha.

Logo na manhã do dia 23, contudo, uma verdadeira multidão toma conta das praias e morros para enxergar os navios revoltosos. De fato, dentro da baía podem ser vistos o *Minas Gerais*, o *São Paulo*, o *Bahia* e o *Deodoro*, que aderira por último ao movimento, com bandeiras vermelhas tremulando nos mastros.

Com o clarear do dia, a ação dos navios rebelados é muito mais de presença do que de guerra. A ideia é apenas assustar as autoridades. São disparados tiros esparsos, com canhões de pequeno calibre, sobre o Rio de Janeiro e Niterói, causando alguns danos materiais.

A ação tem um desfecho trágico: um dos tiros de canhão, que tem como destino o Arsenal de Marinha, cai sobre um cortiço no número 16 da rua da Misericórdia, no Morro do Castelo, e mata duas crianças pobres. O fato causa grande comoção e alvoroço junto à população. No mesmo dia, os marujos ficam sabendo do desastre e enviam à família dos meninos duzentos mil-réis, para custear o enterro das crianças.

Nas primeiras horas do dia, chega ao cais do Arsenal de Marinha a lancha trazendo os cadáveres do capitão de mar e guerra Batista das Neves e do capitão-tenente José Cláudio da Silva, ambos abatidos no *Minas Gerais*.

Os corpos dos marinheiros mortos nos navios revoltosos são enviados para terra em outra lancha, na qual viajam também os engenheiros ingleses do estaleiro que construíra o *Minas Gerais*. Pelo contrato, eles permaneciam a bordo assegurando o funcionamento do sistema elétrico do navio.

Mr. Thompson, um dos técnicos que estivera no *Minas Gerais*, ao desembarcar no cais Faroux, afirma a um funcionário da embaixada da Inglaterra: "Que coisa maravilhosa esse movimento".

O governo está tão desorientado com a revolta dos marinheiros, que deposita os despojos dos oficiais e dos marinheiros em um saguão do Arsenal de Marinha, sem honras e homenagens. Essa falta de cuidado rende uma calorosa crítica proferida da tribuna da Câmara Federal, pelo deputado Luís Adolfo: "Peço permissão para externar a profunda mágoa que o meu coração de brasileiro sentiu ao deparar na câmara mortuária, envolto ao lado dos heróis que caíram combatendo pela ordem, pela legalidade e pela dignidade das nossas instituições, um marinheiro pertencente ao número daqueles que concorreram para trucidar esses mesmos oficiais [...]".

O discurso entusiasma os civilistas a se manifestarem pelo outro extremo, em defesa dos marinheiros. Rui Barbosa, o candidato derrotado, afirma no Senado Federal: "A marinhagem não obedece a outro intento senão o de melhorar a sua condição pecuniária e de se forrar ao suplício infamante da chibata".

Ao longo do dia, o desespero toma conta da população do Rio de Janeiro. Partem para Petrópolis, na serra, doze composições especiais levando três mil pessoas. As famílias da zona sul fogem para os subúrbios de maneira atabalhoada, ao longo da Avenida Central. Os trens partem superlotados. Há gritaria e empurra-empurra por todos os cantos da cidade.

Os líderes da revolta determinam que as fortalezas de Santa Cruz, Laje e São João não atirem nos navios, do contrário seriam arrasadas pelos canhões. Diante disso, o comandante da Santa Cruz aconselha a retirada de mulheres e crianças dos oficiais que lá residem com suas famílias. Para a retirada, é chamado o rebocador *Paraná* – que traz, entre outras pessoas, a mulher do tenente Cândido Moreira, que havia tido um menino há apenas cinco dias e é carregada em uma cadeira de braço.

Durante aquela noite, os navios sob o comando dos revoltosos continuam seus movimentos, com os holofotes direcionados para terra. No *São Paulo* e no *Minas Gerais*, as guarnições são duplicadas pelos reforços mandados de outros navios que aderem ao movimento.

Alguns marinheiros descansam em suas cobertas enquanto outros vigiam sobre as torres, montados nos canhões, em turnos de serviço. Dentro dos salões do *Minas Gerais*, para aqueles que estão em descanso, é permitido o lazer ao som da charanga, que entoa compassos de maxixe.

Às cinco horas da manhã, o *São Paulo* está ancorado próximo à Ilha Fiscal, e o *Minas Gerais*, ao lado da fortaleza de Villegaignon, ambos aproando à terra para abastecer. No intervalo entre eles, alinham-se o *Deodoro*, o *Floriano*, o *Primeiro de Março*, o *Benjamin Constant* e o *Bahia*.

Quase às seis horas, há outro movimento dos navios, sempre com a disposição corretíssima, evoluindo com precisão, guardando distâncias regulares e rigorosas, mantendo a marcha idêntica entre eles. "Tudo feito com mestria", como diz o registro de um jornal da época.

As fortalezas mantidas pelo governo permanecem em silêncio. Generais e almirantes esperam o desenrolar dos acontecimentos no Ministério da Marinha.

Em uma jogada de grande habilidade política, o caudilho Pinheiro Machado convida o deputado federal pelo Rio Grande do Sul, José Carlos Carvalho, para ser o interlocutor com os revoltosos. A atitude de Machado é tomada diante da inoperância do governo frente à revolta. Além de deputado, Carvalho é comandante da Marinha e conhece como ninguém a linguagem dos marujos.

Logo depois do chamado, o deputado veste a farda e se dirige ao Arsenal de Marinha. Lá, vê na sala da ordem o cadáver do comandante Batista das Neves, morto a golpes de machadinha.

Carvalho solicita, então, uma lancha para conduzi-lo ao *Minas Gerais*. Depois de recusar duas delas, "por não apresentarem condições decentes", embarca levando um lençol como bandeira branca. Esse mesmo lençol fora usado durante a noite para cobrir o corpo de um dos marujos mortos na revolta. Na viagem, Carvalho encontra uma embarcação mercante que vem trazendo um emissário do *Minas Gerais*. Ele traz um ofício dos marujos destinado ao presidente da República. O deputado guarda o ofício, para ser entregue por ele ao presidente, e segue ao *São Paulo*, que solicita sua presença antes que vá ao *Minas Gerais*.

À entrada do navio, a guarnição se forma e o deputado recebe todas as honras normalmente destinadas às autoridades.

"Quem é o responsável por esses atos que sucederam?", pergunta Carvalho.

"Todos", respondem. E um deles acrescenta:

> Navios poderosos como estes não podem ser tratados, nem conservados, por meia dúzia de marinheiros que estão a bordo; o trabalho é dobrado, a alimentação é péssima e malfeita e os castigos aumentam a cada dia. Estamos em um verdadeiro momento de desespero: sem comida, muito trabalho e as nossas carnes rasgadas pelos castigos corporais, que chegam à crueldade. Não nos incomodamos com os aumentos dos nossos vencimentos, porque um marinheiro nacional nunca trocou por dinheiro o cumprimento de seu dever e os seus serviços à Pátria.

Nesse instante, uma mensagem vinda do *Minas Gerais*, por telégrafo, pergunta quem chegou ao *São Paulo*. Ao serem informados, os líderes da revolta no *Minas Gerais* solicitam a presença do deputado a bordo. Ao chegar nesse navio, José Carlos Carvalho é recebido novamente com todas as honras, mas sente que a guarnição está mais exaltada e resolvida à resistência, caso não sejam atendidas suas reivindicações.

Os marujos pedem então ao deputado que faça uma visita minuciosa ao navio, a fim de ter certeza de que tudo está em ordem.

Um dos marinheiros afirma:

> Nada queremos. Só que parem com os castigos corporais, que são bárbaros, e que não nos obriguem a trabalhar além das nossas forças. Vossa Senhoria pode percorrer o navio, para ver como ele está em ordem e até o nosso escrúpulo, senhor comandante, chegou a este ponto: ali estão guardando o cofre de bordo quatro praças, com as armas embaladas; para nós, aquilo é sagrado. Só queremos que o senhor presidente nos dê liberdade, abolindo os castigos bárbaros que sofremos, nos dando alimentação regular e folga no serviço. Vossa Senhoria vai ver se nós temos razão.

Os marujos mandam vir à presença do deputado o marinheiro que fora castigado na véspera, com as 250 chibatadas.

Horrorizado, Carvalho determina que o ferido volte com ele para terra, a fim de ser recolhido no Hospital da Marinha. "Esse pobre homem mais parece uma tainha lanhada para ser salgada", diz o deputado.

Carvalho pergunta aos marujos qual relato deve fazer ao presidente da República. É João Cândido quem responde:

O mesmo que pede a guarnição do *São Paulo* e o ofício que mandamos pelo nosso emissário ao senhor marechal presidente da República. Pedimos o perdão pela falta que praticamos, levados pela alucinação a que chegamos, pelos castigos bárbaros que recebemos, todos os dias, e a posição desesperada em que nos colocaram. Fizemos tudo isto porque basta de sofrer e não sabemos ainda o que faremos.

Nesse mesmo dia, depois de desembarcar no Arsenal de Marinha e de entregar o praça ferido aos cuidados médicos, o deputado Carvalho – no próprio carro do ministro da Marinha – vai ao Palácio do Catete, onde encontra o presidente reunido com seus ministros. O deputado relata, então, sua expedição e entrega o ofício dos marujos revoltosos:

Rio de janeiro, 22 de novembro de 1910.
Ilmo. e Exmo. Sr. Presidente da República Brasileira.

Cumpre-nos, comunicar a V. Excia. como Chefe da Nação Brasileira:
Nós, marinheiros, cidadãos brasileiros e republicanos, não podendo mais suportar a escravidão na Marinha Brasileira, a falta de proteção que a Pátria nos dá; e até então não nos chegou; rompemos o negro véu, que nos cobria aos olhos do patriótico e enganado povo. Achando-se todos os navios em nosso poder, [...] mandamos esta honrada mensagem para que V. Excia. faça nós Marinheiros Brasileiros possuirmos os direitos sagrados que as leis da República

nos facultam, acabando com as desordens e nos dando outros gozos que venham engrandecer a Marinha Brasileira; bem assim como: retirar os oficiais incompetentes e indignos de servir a Nação Brasileira, reformar o Código imoral e vergonhoso que nos regem, a fim de que desapareça a chibata, o bolo e outros castigos semelhantes; aumentar o nosso soldo [...], educar os marinheiros que não têm competência para vestir a orgulhosa farda, mandar pôr em vigor a tabela de serviço diário que a acompanha.

Tem V. Excia. o prazo de doze (12) horas para mandar-nos a resposta satisfatória, sob pena de ver a pátria aniquilada.

Bordo do encouraçado *São Paulo* em *22* de Novembro de 1910.

Nota: Não poderá ser interrompida a ida e volta do mensageiro.

Marinheiros.

Pouco antes da chegada do deputado Carvalho, o ministério, reunido no Catete, já havia tomado algumas desastrosas medidas, como distribuir uma nota à imprensa, que esquentaria ainda mais os ânimos dos revoltosos. Estiveram nessa reunião o general Dantas Barreto, ministro da Guerra; J. J. Seabra, da Viação; Francisco Sales, da Fazenda; Rio Branco, das Relações Exteriores; almirante Joaquim Marques Batista Leão, da Marinha; Pedro Toledo, da Agricultura; e Rivadavia Corrêa, da Justiça.

Fora convocado também Belisário Távora, chefe de Polícia. Da reunião saíram algumas deliberações, divulgadas em seguida à imprensa:

1 – Que as autoridades não consintam no desembarque de marinheiros no litoral, com exceção no Arsenal de Marinha.
2 – Não responder a nenhum radiograma dos rebeldes.
3 – Se os rebeldes não se renderem, o governo mandará torpedear os navios revoltados.

A notícia alarmou a cidade do Rio de Janeiro. A população, temendo um iminente bombardeio, fugiu para onde pôde. Dos navios revoltados, chegou a seguinte mensagem: "Não queremos fazer mal a ninguém, porém, não queremos mais a chibata".

O governo consegue interceptar uma mensagem enviada pelo rádio, do *São Paulo* para o *Minas Gerais*. "Não se afobem", dizem os revolucionários aos seus próprios colegas.

A onda de boatos assola de vez a República. A notícia que corre, de boca em boca, é a de que o presidente Hermes da Fonseca determinara o imediato bombardeio contra os navios dominados pelos marujos. Diante do tumulto, o chefe de Polícia do Distrito Federal, Belisário Távora, trata de desmentir a nota já divulgada e distribui também aos jornais o seguinte comunicado:

> O governo não tenciona absolutamente iniciar bombardeio contra os navios revoltados e, pois, não autoriza a afirmação feita em boletim distribuído esta manhã e pela qual estaria disposto a fazê-lo e bem assim aconselharia

aos habitantes dessa cidade a retirada imediata. Esse modo de ver tanto mais se justifica quando é certo que aguarda a solução que ao caso procura dar o Congresso Nacional. Não existem, portanto, razões para o desusado pânico que se estabeleceu no seio da população, alarmada pela injustificada iminência de acontecimentos graves. Tudo faz crer que será evitado o bombardeio da cidade e se normalizará dentro de curto prazo a situação criada pelas guarnições navais revoltadas.

Logo em seguida à transmissão da nota pelas rádios, captada pelos marujos rebeldes, vem do *Minas Gerais*, também pelo rádio, esta mensagem:

> Ao povo e ao Chefe da Nação:
> Os marinheiros do *Minas Gerais*, do *São Paulo*, do *Bahia*, do *Deodoro* e mais navios de guerra vistos no porto com a bandeira encarnada não têm outro intuito que não seja o de ver abolido das nossas corporações armadas o uso infamante da chibata que avilta o cidadão e abate os caracteres. A resolução de içarem no mastro dos navios a bandeira encarnada e de se revoltarem contra o procedimento de alguns comandantes e oficiais só foi levada a efeito depois de terem reclamado, por vezes insistentemente, contra esses maus-tratos, contra o excesso de trabalho a bordo e pela absoluta falta de consideração com que sempre foram tratados. Do Chefe da Nação, o ilustre marechal Hermes da Fonseca, cujo Governo os marinheiros desejam coroado pela paz e pelo inexcedível brilho, só de-

sejam os reclamantes a anistia geral, a abolição completa dos castigos corporais para engrandecimento das nossas classes armadas. Os marinheiros lamentam que estes acontecimentos se houvessem dado no começo da presidência de S. Excia. o Sr. marechal Hermes da Fonseca, a quem a guarnição do *São Paulo* é especialmente simpática [nele viajou o presidente eleito, que se encontrava na França]. Ao povo brasileiro, os marinheiros pedem que olhem a sua causa com a simpatia que merece, pois nunca foi seu intuito tentar contra a vida da população laboriosa do Rio de Janeiro. Só em última emergência, quando atacados ou de todo perdidos, os marinheiros agirão em sua defesa. Esperam, entretanto, que o Governo da República se resolva a agir com Humanidade e Justiça.
Os marinheiros da Armada Brasileira.

Está claro que a chamada Revolta da Chibata tem dois líderes. Um intelectual, Francisco Dias Martins, o "Mão Negra" – que redige as mensagens –, e João Cândido, o homem prático e semianalfabeto, que lidera com firmeza e habilidade a condução da esquadra, graças às lições tomadas na Inglaterra.

O Almirante Negro – como passou a ser chamado João Cândido pela imprensa – é astuto e desconfiado. Postado na torre do *Minas Gerais*, ordena que o mestre da barca que vem abastecer o navio de água – por determinação do governo – prove o líquido antes de ele ser entregue.

Com seu uniforme branco, já bem velho, um pé vestido em um chinelo e outro em uma botina, o líder negro em nada se parece com um almirante convencional. A única marca que o diferencia dos demais marujos é um lenço vermelho que leva amarrado no pescoço. Aquele é o seu distintivo.

O governo dispõe de 2.630 homens para enfrentar os 2.379 rebeldes. O poder de fogo dos amotinados – instalados nos mais sofisticados navios de guerra do mundo –, entretanto, é muito maior. Diante da impossibilidade de combate e com o perigo iminente de um bombardeio por parte dos rebeldes, o governo é o maior interessado em um processo de anistia aos revoltosos, que já começa a ser tratado no Congresso Nacional.

Por sorte do Catete, a campanha pela anistia empolga também o senador Rui Barbosa que, embora derrotado nas eleições presidenciais, ainda traz a popularidade da campanha civilista que movimentara o Brasil. É Rui Barbosa quem apresenta no Senado o projeto de anistia aos marujos, de autoria do senador Severino Vieira. Diz o projeto:

> Artigo 1 – É concedida anistia aos insurretos da parte dos navios da Armada Nacional, se os mesmos, dentro do prazo que lhes for marcado pelo Governo, se submeterem às autoridades constituídas.
> Artigo 2 – Revogam-se as disposições em contrário. 24-11-1910.
>
> (assinados) Francisco Glicério, Severino Vieira, J. L. Coelho e Campos, Rui Barbosa, Campos Sales, Alfredo Elis, Generoso Marques, Alvaro Machado, Walfredo Leal, Oliveira Figueiredo, Bernardino Monteiro, F. Mendes de Almeida, Urbano Santos, José Eusébio e Sá Freire.

Senado Federal. Galerias lotadas. Em um discurso memorável, o senador baiano Rui Barbosa apresenta o projeto de anistia e faz sua defesa com a verve de sempre:

> Ou o governo da República dispõe dos meios cabais e decisivos para debelar esse lamentável movimento – e então justo seria que os empregasse para restituir imediatamente a tranquilidade do País –, ou desses meios não dispõe o Governo da República e, em tal caso, o que a prudência, a dignidade e o bom-senso lhe aconselham é a submissão às circunstâncias do momento. Extinguimos a escravidão sobre a raça negra, mantemos, porém, a escravidão no Exército e na Armada, entre os servidores da Pátria, cujas condições tão simpáticas são a todos os brasileiros.

Duas horas depois do discurso de Rui Barbosa, aclamado com salvas de palmas das galerias, o projeto de lei da anistia já está na Câmara dos Deputados, com pedido de urgência. No dia seguinte, é aprovado a toque de caixa pelo Congresso, às 17h30.

Assim que fica sabendo da aprovação da anistia, do *Minas Gerais*, João Cândido radiografa ao comandante José Carlos Carvalho, no Catete:

> Entraremos amanhã ao meio-dia. Agradecemos os seus bons ofícios em favor da nossa causa. Se houver qualquer falsidade, o senhor sofrerá as consequências. Estamos dispostos a vender caro nossas vidas.
>
> Os revoltosos.

Está terminada a revolta. Manhã de 26 de novembro. O sol já brilha, às sete horas da manhã, quando é possível avistar, bem ao longe da baía, os vultos do *São Paulo* e do *Bahia*. Os morros, o cais e as praias já estão lotados de curiosos, alguns com binóculos, que pretendem assistir à chegada dos marinheiros.

Ficam fora da barra o *Minas Gerais* e o *Deodoro*, que concluem os serviços de limpeza. O *São Paulo* vai à frente dos demais, servindo de batedor e dando ordens às outras embarcações para que não os seguissem. Os navios revoltosos devem ter exclusividade de navegação.

Por volta da uma da tarde, entram na barra todos os navios, com as bandeiras vermelhas arriadas. As quatro embarcações, a um sinal do *Minas Gerais*, prestam homenagem aos mortos, hasteando o Pavilhão Nacional em funeral. Cabe a João Cândido pronunciar uma oração, enquanto é executado o toque de silêncio.

Quando o *Minas Gerais* está a uma milha da Ilha Fiscal, uma lancha do gabinete do ministro da Marinha aproxima-se, trazendo o capitão de mar e guerra João Pereira Leite, que vem ler de viva voz o decreto de anistia e assumir o comando da embarcação. Ao entrar no navio, o oficial – em um impecável uniforme azul – é recebido com continências por João Cândido e pelos demais marujos que estão formados no convés.

Pereira Leite inspeciona o navio, encontrando-o em ordem, e parte para a leitura do decreto da anistia, publicado no *Diário Oficial*. A cena é presenciada por vários binóculos, estrategicamente postados no Arsenal de Marinha. É fotografada e estampada no dia seguinte nos jornais. Após a leitura, João Cândido dá como terminada a revolta, oficialmente. Tira o lenço vermelho do pescoço e o guarda no bolso.

O capitão de mar e guerra João Pereira Leite chega ao Minas Gerais, depois da anistia, para assumir o comando do navio.

3. Duros tempos para os revoltosos

A anistia não dura dois dias. A imprensa noticia rumores de um golpe contra os marujos que participaram da revolta. Isso leva os mesmos a procurarem os senadores Rui Barbosa e Pinheiro Machado. A comissão de ex-revoltosos vai às residências dos dois senadores e não é recebida por nenhum deles.

No dia 28 de novembro, os marinheiros são surpreendidos pela publicação do Decreto nº 8.400, que diz:

> Atendendo ao que lhe expôs o ministro de Estado dos Negócios da Marinha, resolve autorizar a baixa, por exclusão, das praças do Corpo de Marinheiros Nacionais, cuja permanência se tornar inconveniente à disciplina; dispensando-se a formalidade exigida pelo artigo 150 do Regulamento anexo ao Decreto n. 7.124, de 24 de setembro de 1908, e revogando-se as disposições em contrário.

Rio de Janeiro, 28 de novembro de 1910. 89º da Independência e 22º da República.

(assinados) Hermes Rodrigues da Fonseca e Joaquim Marques Batista Leão.

Em virtude de um novo clima de tensão nas Forças Armadas, pela publicação do decreto, o governo já começa a tramar o estado de sítio. As demissões são muitas na Marinha. Vários navios ficam sem pessoal suficiente para os serviços essenciais.

Na madrugada de 4 de dezembro, são presos 22 marujos, no bairro da Piedade, acusados de conspiração. As celas da Ilha das Cobras – sede dos Fuzileiros Navais, localizada em frente ao cais do porto e ao lado da Ilha Fiscal – ficam superlotadas.

Circulam boatos de que nessa ilha o Batalhão de Fuzileiros Navais organiza novo motim. Os boatos partem do próprio governo, interessado em incitar uma segunda rebelião para decretar o estado de sítio. Os oficiais esperam apenas o primeiro tiro para entrarem em ação e deflagrarem o conflito armado.

Sete horas da noite de 9 de dezembro de 1910. Ilha das Cobras. A banda de música toca no pátio e quase todo o batalhão naval diverte-se aproveitando a hora de descanso.

Às nove horas é dado o toque de recolher e, em seguida, procede-se à chamada da revista. Com os soldados formados no pátio, o imediato Wenceslau Caldas verifica a falta do responsável pelo tambor da 1ª Companhia, Homero José da Silva, que teria, segundo informações passadas por um dos soldados, saltado a muralha. O imediato avisa seu superior, mas não dá maior importância ao fato.

Às 21h30, é dado o toque de recolher e, em vez de se dirigirem para suas camas, muitos soldados permanecem no pátio, em grande algazarra, dando vivas à liberdade.

Ouvem-se tiros e a tropa debanda em busca de seus fuzis. Alguns minutos depois, as luzes da ilha são apagadas e os marinheiros começam a caçar os oficiais para matá-los. No escuro, disparando, eles vão gritando: "Viva a liberdade. Morram os oficiais".

Os revoltosos atiram contra a sala de estudos e quebram o aparelho telefônico. Cercam a ladeira da praça de armas, onde estão alguns oficiais, impedindo, pelo fogo da fuzilaria, a entrada dos mesmos no recinto do quartel. Arrombam o paiol de munição, que fica no subterrâneo, em frente ao edifício do corpo central. Trazem mais armas para o pátio. Soltam todos os presos e cercam os pontos de saída.

Somente a 1ª, a 2ª e a 5ª companhias estão em formação; os outros soldados do Batalhão Naval e a maioria dos oficiais preparam-se para dormir quando são disparados os primeiros tiros. Logo depois, soa o toque de reunir e o restante da guarnição da Ilha das Cobras rebela-se.

O comandante do Batalhão Naval, Marques da Rocha, despe-se para dormir quando ouve os tiros. Ele havia sido alertado sobre uma nova rebelião, por isso tinha mandado que a banda tocasse para divertir os marujos. Quando a banda para de tocar e entra o silêncio, Marques da Rocha pensa que tudo está calmo e começa a se preparar para dormir.

Com o barulho dos tiros, veste uma japona e tenta correr para o pátio, mas um sentinela, que se mantém fiel ao governo, leva-o para o cais e manda-o para o Rio de Janeiro. Quando chega em terra, Marques da Rocha telefona para o presidente Hermes da Fonseca, avisando-o que o batalhão se sublevara.

Hermes da Fonseca fica sabendo do levante quarenta minutos depois. Ele acabara de jogar uma partida de bilhar com amigos e conversa com a esposa quando Marques da Rocha telefona-lhe. Mal desliga o telefone, antes mesmo de se comunicar com o ministro da Marinha, ouve várias explosões: é a guarnição do navio *Rio Grande do Sul* que adere ao levante e dispara seus canhões contra a cidade do Rio de Janeiro.

Nos navios *São Paulo* e *Minas Gerais* a situação é confusa. Alguns marinheiros querem aderir ao motim, outros não. João Cândido e os demais líderes da revolta de novembro são contra o levante. Acreditam que uma nova revolta vai enfraquecer sua causa.

Esses navios estão desarmados, porque as culatrinhas (peças onde se localizam os aparelhos de disparo) foram retiradas por segurança, por determinação do ministro da Marinha, depois da revolta de novembro.

As culatrinhas foram recolhidas inicialmente no depósito do armamento. Depois, com medo de que fossem roubadas pelos revoltosos, o ministro ordenou que seus próprios homens de confiança as tirassem de lá. Os equipamentos foram então retirados de madrugada, em três grandes malas, e depositados secretamente no vestiário privado dos oficiais.

Com o início do motim na Ilha das Cobras, os oficiais de bordo do *Minas Gerais* e do *São Paulo* resolvem abandonar os navios, com medo de nova rebelião.

Antes de desembarcar do *Minas Gerais*, o imediato pede a João Cândido que tome conta do navio. Os marujos passam então a mandar telegramas para terra solicitando o envio das culatrinhas, para que possam reprimir com os canhões o motim na Ilha das Cobras. Essa atitude desperta suspeitas nos oficiais. Até hoje pairam dúvidas quanto à real motivação desses marujos. Queriam eles bombardear os amotinados ou aderir ao novo levante?

Fato é que, no *Minas Gerais*, um único canhão de pequeno calibre está equipado (a culatrinha não fora retirada por descuido) e esse dispara vários tiros contra a ilha. Nesse navio, João Cândido e os demais líderes mantêm contato permanente com a oficialidade, a bem da disciplina da tropa.

Sem a adesão dos principais navios e com os canhões do Exército postados no morro de São Bento, próximo ao cais do porto, os amotinados do Batalhão Naval acabam massacrados.

Na Ilha das Cobras, onde vários oficiais são mortos, os sublevados são comandados pelo cabo "Piaba", um mulato considerado disciplinado pelos oficiais, apesar de ser ex-presidiário. Ele manda que os companheiros mudem sempre a posição de suas armas, para evitar a mira dos legalistas.

A luta dura toda a madrugada, a manhã do dia 10 de dezembro e só termina ao entardecer, com a morte da maioria dos amotinados.

As tropas do Exército que desembarcam na Ilha das Cobras encontram poucos sobreviventes. Por todos os lados, junto aos canhões e metralhadoras destruídas, há corpos de marinheiros, muitos deles feridos que se encontravam, antes do levante, em recuperação no Hospital da Marinha, localizado dentro da ilha. Nos dormitórios estão os cadáveres dos oficiais, muitos mortos enquanto dormiam.

Os rebeldes não permitem a retirada dos doentes nem dos feridos. Determinam que retirem para o Arsenal de Marinha apenas o capitão-tenente Ferreira de Abreu, médico do Batalhão Naval, considerado pelos marujos como o "pai dos soldados".

Além dos estragos na ilha, os rebeldes provocam danos também na cidade do Rio de Janeiro, onde caem suas granadas. Na 4ª Pretoria estão marcados quatro casamentos para aquele dia, mas três dos casais não aparecem no prédio, que fica na linha de fogo dos revoltosos.

O escrevente ainda tenta convencer o quarto casal a adiar o casamento, mas o noivo insiste em casar-se naquele mesmo dia. Com o barulho das granadas cada vez mais próximo, começa a cerimônia. De repente, há uma explosão mais forte e um tiro atravessa a janela do prédio.

Todos – noivos, testemunhas, juiz e escrevente – correm para os fundos. Alguns minutos depois, porém, o noivo, um italiano, insiste para que o juiz continue o casamento. Só sai de lá casado, quando o tiroteio é ainda mais forte.

No cais Faroux – o outro local em terra onde ficam as baterias do governo, além do morro de São Bento – é onde cai o maior número de granadas disparadas da Ilha das Cobras. Vários prédios da cidade são atingidos, inclusive o Hotel Royal, no centro, de Francisco Cândido Moreira da Silva.

Na própria tarde de 10 de dezembro, o dono do Hotel Royal e sua esposa, Rita Jacinta Moreira da Silva, dão entrada na 2ª Vara da Justiça Federal em uma ação sumária especial de ressarcimento de danos e prejuízos contra a União Federal.

Essa ação só foi julgada pelo Tribunal Federal de Recursos em 1970, e os herdeiros de Francisco Cândido Moreira da Silva receberam, como indenização pelos danos ao Hotel Royal, a quantia de 97 centavos.

Outra curiosidade em decorrência da Revolta do Batalhão Naval: o compositor Noel Rosa nasce no dia 11 de dezembro de 1910, dia seguinte do ocorrido. E o parto difícil do menino de quatro quilos, tirado a fórceps, compromete seu maxilar para o resto da vida. As dificuldades são atribuídas ao clima de guerra na cidade. Sua mãe, Marta, nervosa com o barulho de bombas e granadas, precipita o nascimento. A Revolta do Batalhão Naval, então, é em grande parte responsável pela principal característica física do Poeta da Vila: a falta de queixo. E mais: o defeito no maxilar, por conta do parto com fórceps, faz com que ele se alimente mal, quase que só de papas e líquidos, principalmente alcoólicos – o que, por sua vez, determina sua morte prematura aos 26 anos, 4 meses e 23 dias. De tuberculose.

A Ilha das Cobras, depois da revolta do Batalhão Naval, vira um montão de ruínas. Muitos dos edifícios e armazéns são devorados pelas chamas. Sobram alguns prédios do presídio e da área administrativa, que logo são recuperados. No Hospital de Pronto-Socorro são recebidos 132 feridos por estilhaços de granadas. Esperam por reconhecimento no necrotério, oito civis e um monge.

O governo, aproveitando o tumulto causado pela segunda revolta em menos de um mês, envia uma mensagem ao Congresso Nacional solicitando a aprovação do estado de sítio. Diz um trecho da mensagem:

> Não é possível esconder que esse fato, seguindo-se tão de perto aos acontecimentos de 22 de novembro, é resul-

tado de um trabalho constante e impatriótico que tem lançado a anarquia e a indisciplina nos espíritos, especialmente aos menos cultos e, por isso mesmo, mais suscetíveis de fáceis sugestões.

É o senador Alencastro Guimarães quem apresenta o projeto de lei do estado de sítio no Senado, que acaba aprovado, a toque de caixa, por 36 votos a 1. O único voto contra é do senador Rui Barbosa. Na Câmara dos Deputados, embora alguns parlamentares denunciem que o estado de sítio é um complô contra a nação, ele acaba igualmente aprovado.

O governo decreta o estado de sítio, autorizado pelo Congresso Nacional, tendo como justificativa a revolta dos fuzileiros navais na Ilha das Cobras.

O decreto do estado de sítio, logo depois da revolta na Ilha das Cobras, aumenta as suspeitas de que a rebelião tenha sido incitada pelo próprio governo, por meio dos constantes boatos que surgiam a todo instante, sobretudo dando conta de que o Exército seria chamado para intervir nos navios e nas dependências onde a revolta de novembro ganhara espaço.

Outra hipótese é a de que os líderes da rebelião na Ilha das Cobras desejassem apenas a projeção alcançada pelos marujos que encabeçaram a revolta de novembro. O fato é que a segunda sublevação não teve nenhuma motivação concreta, como a questão da chibata, que originou a primeira.

Com o estado de sítio decretado e a rebelião da Ilha das Cobras controlada, o governo determina que as tripulações dos navios *Minas Gerais* e *São Paulo* desembarquem. João Cândido, que fora ferido levemente no calcanhar por um estilhaço de granada, é destacado para permanecer a bordo, junto com mais trinta marujos, que fazem a limpeza do navio. Ele pernoita no *Minas Gerais* naquela noite e somente desembarca, no Cais dos Mineiros, na manhã do dia seguinte, utilizando uma lancha.

Ao desembarcar, João Cândido é preso, apesar de ter-se mantido fiel ao governo na segunda revolta. Está com outros três marinheiros e é detido sob a alegação de ter desrespeitado ordens superiores ao não desembarcar em uma unidade militar. Segundo as autoridades, João Cândido e seus companheiros deveriam ter deixado o *Minas Gerais* e seguido para o cais do Arsenal de Marinha. Os quatro marujos presos no Cais dos Mineiros são participantes do movimento revolucionário de novembro.

João Cândido e seus companheiros são levados ao Quartel-General do Exército, localizado na Praça da República. Lá, ficam incomunicáveis em uma pequena cela do 1º Regimento de Infantaria (RI).

Na Polícia Central, as celas também estão superlotadas com marujos participantes das duas revoltas. Outros são jogados na 3ª galeria da Casa de Detenção. Além dos marinheiros, estão sendo presos, também, civis suspeitos de serem simpatizantes dos movimentos revoltosos.

É o caso de um velho amigo que João Cândido reconhece no cubículo do Regimento de Infantaria. Ele fora detido por ter exaltado a revolta em frente ao edifício da *Gazeta de Notícias*. Está com um olho vazado e várias costelas quebradas, de tanto apanhar.

Na manhã de 24 de dezembro de 1910, véspera de Natal, João Cândido e mais dezessete companheiros são transferidos do Regimento de Infantaria para a Ilha das Cobras. No caminho, vão escoltados por soldados do Exército, sob o comando do tenente Carlos Rodrigues.

Os alojamentos do Presídio Militar, que fica na Ilha das Cobras, já estão superlotados, com mais de seiscentos presos, quando lá chegam João Cândido e seus colegas. Só resta uma cela desocupada, a de número cinco, uma prisão solitária, subterrânea, localizada sob o hospital.

Há um túnel de 180 metros de comprimento por três de largura, que liga o pátio da Ilha das Cobras ao presídio. A trinta metros da entrada do túnel, do lado esquerdo, foi cavado um buraco na parede. Para se entrar nele, é necessário passar por uma escada, com sete degraus de pedra. Junto à escada, existe a primeira porta da cela, de ferro, seguida de outra, de madeira, a noventa centímetros de distância.

A solitária é encravada na rocha, em forma de cúpula. Não recebe sequer um raio de sol. A ventilação se dá por meio de minúsculos furos feitos na chapa de ferro de uma das portas. Na outra, de madeira, também existem pequenos orifícios para ventilação. O chão e as paredes são de pedra.

João Cândido e seus companheiros chegam ao presídio com a recomendação do Quartel-General da Marinha de que sejam postos em prisão segura e separados dos demais presos, por serem extremamente perigosos.

O comandante Marques da Rocha, responsável pela Ilha das Cobras, ordena ao carcereiro, o primeiro-sargento Rufino de Souza, que prenda os dezoito homens na solitária e, depois, lhe entregue as chaves.

Na madrugada de 25 de dezembro, Rufino de Souza é advertido por um guarda a respeito de um movimento estranho dentro da solitária. Ouvem-se gritos. O fato é comunicado ao oficial de serviço e, em seguida, o recado chega ao comandante Marques da Rocha, que está pernoitando no Clube Naval. Nenhuma providência é tomada até as oito horas da manhã seguinte.

Manhã de 26 de dezembro. Ilha das Cobras. O comandante Marques da Rocha chega ao presídio e, de posse das chaves, abre a solitária de número cinco. A cena chocaria até mesmo o mais insensível dos militares: jogados em um extremo da cela estão dezesseis corpos de marujos mortos por asfixia. Em um outro canto, em estado de choque, os dois únicos sobreviventes – João Cândido e o soldado naval João Avelino.

A cela fora desinfetada com água e cal. A água evaporou com o forte calor e a cal penetrara nos pulmões dos marinheiros. No atestado de óbito, feito fraudulentamente, já que o médico de plantão nega-se a assiná-lo, aparece como causa das mortes "insolação".

O *Diário de Notícias* descobre o fato e dá o furo: revela o massacre à população do Rio de Janeiro. Em sua edição de 28 de dezembro, o jornal ironiza a desculpa arranjada pelo governo:

> O observatório do morro do Castelo registrava temperatura máxima de 24,7 (no dia 25). É de crer, portanto, que o morro do Castelo não tenha o seu termômetro em condições de bom funcionamento, e, por conseguinte, ou esse termômetro não pode continuar como um fornecedor oficial da temperatura ou os empregados desse serviço não desempenham como era de desejar as funções que lhes estão confiadas.

Diante da ironia do jornal, o ministro da Marinha envia o seguinte despacho ao contra-almirante chefe do Estado-Maior da Armada:

> Passando às vossas mãos um tópico do *Diário de Notícias* de hoje, rogo-vos seja enviada a este quartel, hoje mesmo, com a máxima brevidade, pessoa idônea para tomar a temperatura do xadrez onde se deram os óbitos de insolação.

Anos mais tarde, João Cândido narra ao repórter Edmar Morel, em detalhes, os horrores daquela madrugada fatídica, em que morreram seus companheiros. Em sua narrativa, João Cândido descreve a cela e admite ter tido visões e alucinações depois do ocorrido:

> Foi horrível. Dos 18 camaradas no meu cubículo, só escaparam dois. Eu e o "Pau de Lira", que trabalha na estiva, no Cais dos Mineiros, no Caju. O resto foi comido pela cal, jogada com água dentro do subterrâneo. Outros, de tão inchados, pareciam sapos.
>
> A prisão era pequena e minava água por todos os lados. As paredes estavam pichadas. A gente sentia um calor de rachar. O ar, abafado. A impressão era de que estávamos sendo cozinhados dentro de um caldeirão.
>
> Alguns, corroídos pela sede, bebiam a própria urina. Fazíamos as nossas necessidades num barril que, de tão cheio de detritos, rolou e inundou um canto da prisão. A pretexto de desinfetar o cubículo, jogaram água com bastante cal. Havia um declive e o líquido, no fundo da mas-

morra, se evaporou, ficando a cal. A princípio ficamos quietos para não provocar poeira. Pensamos resistir os seis dias de solitária, com pão e água. Mas o calor, ao cair das dez horas, era sufocante.

Gritamos. As nossas súplicas foram abafadas pelo rufar dos tambores. Tentamos arrebentar a grade. O esforço foi gigantesco. Nuvens de cal se desprendiam do chão e invadiam os nossos pulmões, sufocando-nos. A escuridão, tremenda. A única luz era um candeeiro a querosene. Os gemidos foram diminuindo, até que caiu o silêncio dentro daquele inferno, onde o Governo Federal, em quem confiamos cegamente, jogou dezoito brasileiros com seus direitos políticos garantidos pela Constituição e por uma lei votada pelo Congresso Nacional.

Quando abriram a porta, já tinha gente podre. O médico do Batalhão Naval, um homem muito querido, o doutor Guilherme Ferreira de Abreu, negou-se a fornecer os atestados de óbito como morte natural. Nos retiraram e lavaram a prisão com água limpa, e nós dois, os únicos sobreviventes, fomos metidos, novamente, na desgraçada prisão. Lá fiquei até ser internado como louco no hospício. Um dia o carcereiro abriu a porta e disse que eu iria sair. Colocaram-me dentro de um carro. Fui acompanhando o trajeto. A princípio, passei pela avenida Beira-Mar, veio Botafogo e, na praia Vermelha, o veículo entrou num velho casarão.

Era o Hospital dos Alienados, onde fui jogado como doido varrido. Depois da retirada dos cadáveres, comecei a ouvir gemidos dos meus companheiros mortos, quando não via os infelizes, em agonia, gritando desesperadamente, rolando pelo chão de barro úmido e envoltos em verdadeiras nuvens de cal. A cena dantesca jamais saiu dos meus olhos.

Logo depois da morte dos dezesseis companheiros e antes da sua internação no Hospital dos Alienados, que se deu em 18 de abril de 1911, João Cândido passa os dias trancafiado na Ilha das Cobras submetendo-se a um processo de autoterapia instintiva para fugir dos fantasmas que o perseguem.

O historiador José Murilo de Carvalho, da Universidade Federal do Rio de Janeiro, fez uma recente descoberta, que ajuda a desvendar o lado humano de João Cândido. Enquanto esteve preso na ilha, ele passava os dias sob a luz de um candeeiro, fazendo bordados com motivos marítimos. Assim, encontrou uma forma de extravasar seus sentimentos, já que estava traumatizado pelas mortes, revoltado pela traição do governo e fragilizado pela situação de preso incomunicável.

Os bordados foram localizados por José Murilo de Carvalho em 1985, no Museu Regional de São João Del Rei (MG). Foram doados ao museu por Antônio Manuel de Souza Guerra, conhecido na cidade como "Niquinho" e que conhecera João Cândido em 1910, quando estivera, como militar, servindo na Ilha das Cobras.

Os bordados de João Cândido têm o formato de uma toalha de rosto. O primeiro deles, "O adeus do marujo", encontra-se em boas condições de conservação, a não ser por uma mancha na sua metade inferior, ao que tudo indica causada pelo derramamento de algum líquido.

Em sua parte superior, estão bordadas as letras JCF, iniciais de João Cândido Felisberto. No centro, o título "O adeus do marujo". À direita, a palavra "ordem". No centro da toalha, na horizontal, duas mãos se cumprimentam e, na vertical, uma âncora intercepta as mãos. Circundando as mãos e parte da âncora, dois ramos (que lembram os ramos de café e tabaco da bandeira imperial e das armas da República). Abaixo da âncora, o nome F. D. Martins (referência a Francisco Dias Martins, comandante rebelde do *Bahia*). Embaixo, do lado esquerdo, a palavra "liberdade", e do lado direito, a data "XXII de novembro de MCMX".

O outro bordado, do mesmo tamanho que o primeiro, está bem conservado. Traz no alto a inscrição bordada "amôr" (*sic*). Logo abaixo, um coração atravessado por uma espada jorra gotas de sangue. Dos dois lados do coração, flores, borboletas e um beija-flor. Não aparecem nomes nem data.

A prisão de João Cândido na Ilha das Cobras, por um lado, é marcada por atrocidades e barbaridades. Por outro, em uma ironia do destino, salva-lhe a vida. Seu nome consta da lista dos prisioneiros que devem embarcar na chamada "Viagem da morte", no cargueiro *Satélite*, rumo ao norte do país. Pela notoriedade que ganhara durante a revolta, no entanto, o governo tem medo e resolve deixá-lo preso na masmorra. Sendo assim, ele não embarca.

Depois de controlada a rebelião na Ilha das Cobras, o governo faz uma triagem, grosso modo, de quem deveria permanecer na cidade. Há os soldados que tomaram parte na primeira revolta e que são protegidos pela anistia. Há os que participaram da segunda e os que são simplesmente indesejáveis e devem ser excluídos da Armada, com base no Decreto nº 8.400.

São excluídos da Armada novecentos homens, número que se eleva para 1.216 depois da revolta na Ilha das Cobras. Para evitar que esse elevado número de homens seja lançado sem trabalho na cidade do Rio de Janeiro, muitos são enviados para seus estados natais. O governo fornece passagens a 1.068 deles, nos paquetes do Lloyd Brasileiro, a companhia de navegação mercante.

Muitos não querem, contudo, embarcar. Para se livrar deles e de alguns marujos considerados perigosos, que se encontram presos, o Governo contrata a viagem no cargueiro *Satélite*. Eles são transportados para o Acre, a fim de trabalhar, em regime de semiescravidão, na Comissão Rondon, que instala linhas telegráficas, e na construção da Estrada de Ferro Madeira-Mamoré.

Noite de 25 de dezembro de 1910. Enquanto a cidade comemora o Natal, secretamente, o cargueiro *Satélite* deixa o porto do Rio de Janeiro.

Alguns dos passageiros, jogados no imundo porão – onde havia sido transportado açúcar bruto –, são marujos detentos; outros são operários e servidores públicos, simpatizantes da Revolta da Chibata. Embarcam também 44 mulheres, presas da Casa de Detenção.

A viagem, que começa em 25 de dezembro de 1910 e termina em 4 de março de 1911, é chefiada pelo comandante Carlos Brandão Storry. Seu relatório de viagem, hoje no acervo da Casa de Rui Barbosa, constitui uma preciosa peça de confissão de um massacre:

> Partimos conduzindo 105 ex-marinheiros, 292 vagabundos, 44 mulheres e 50 praças do Exército.

Dia 1º de janeiro. – Quando entrava o Ano-Novo de 1911, estávamos já fora da barra e eu me afastei da costa para serem fuzilados seis homens, o que fizeram às 2 horas da manhã, porém, dois, sendo um o "Chaminé", atiraram-se ao mar, antes de serem executados, morrendo afogados, visto estarem com pés e braços amarrados.

Dia 3 de fevereiro. – Foram entregues à Comissão do capitão Rondon duzentos homens, conforme ordem do Governo. Os restantes teriam de descer com eles e deixando-os pelas margens do rio. Os seringueiros ao longo do rio iam pedindo os homens. E assim, no mesmo dia, ficamos livres das garras de tão perversos bandidos.

O caso acaba tendo repercussão negativa na imprensa, que acusa o governo da criação de uma "Sibéria equatorial". No Congresso Nacional, deputados e senadores da oposição também reagem com veemência em discursos inflamados.

Diante de mais esse desgaste, o Ministério da Justiça e Negócios Interiores manda uma mensagem ao Congresso Nacional, assinada pelo próprio presidente da República, além do ministro, tentando explicar as razões do exílio forçado:

> Ante a manifesta inconveniência de permanecerem nesta Capital, no momento, um tão crescido número de homens desta espécie que, junto a outros indivíduos desordeiros contumazes, constituíam uma ameaça à ordem pública, foi medida de prudência e fundada na Constituição desterrar para o Acre os mais perigosos deles e alguns dos indivíduos que a eles se juntavam por naturais e perversos instintos.

Não era intenção do Governo atirar essa gente, sem proteção, nas florestas do Acre; não, o Governo quis lhes proporcionar nessas regiões o trabalho indispensável à sua subsistência e ordenou que metade deles fosse entregue à Comissão chefiada pelo coronel Rondon e a outra metade à Companhia da Estrada de Ferro Madeira-Mamoré.

Lá chegados, foi cumprida a primeira determinação, relativamente à Comissão Telegráfica; e, não havendo a Companhia de Construção recebido os restantes dos desterrados, a força federal não os deixou ao desamparo, sendo colocados em diversos seringais.

João Cândido, anos depois, em uma entrevista, diz ter conhecimento de que os prisioneiros foram "jogados nos seringais, dados de presente aos seringueiros como escravos".

Com relação aos fuzilamentos, o governo alegou que eles foram feitos em legítima defesa e para garantir a ordem no navio, já que uma rebelião a bordo estava sendo tramada.

Dia 18 de abril de 1911. Dez e trinta. João Cândido chega de carro ao Hospital de Alienados, um velho casarão instalado na Praia Vermelha. Vem acompanhado por dois soldados, que trazem um ofício enviado pelo comandante do 55º Batalhão de Infantaria ao responsável pelo hospital.

> Ao Sr. Contra-Almirante, Dr. Inspetor da Saúde Naval.
>
> Levo ao vosso conhecimento que a junta médica abaixo assinada é de parecer que está este praça (João Cândido) sofrendo de astenia cerebral, com melancolia e episódios

delirantes, pelo que julgo necessário ser o internamento em lugar conveniente, a fim de ser melhor observado e tratado.

João Cândido é instalado em um quarto arejado e com muito sol, de onde pode se contemplar a enseada de Botafogo. No primeiro dia, permanece quieto, com a cabeça baixa. Diz sentir dor. Como única refeição no dia inteiro, aceita um copo de leite. Entrega quatrocentos réis a um enfermeiro e pede para ele comprar no dia seguinte o *Jornal do Brasil*. Quer saber se publicariam algo a seu respeito.

Em seu segundo dia no Hospital dos Alienados, João Cândido faz exames no Laboratório Anatomopatológico, na seção Pinel, e responde a perguntas dos psiquiatras que o atendem.

Em sua anamnese (relatório feito por psiquiatras), documento que se encontra até hoje nos arquivos da Marinha, João Cândido é descrito como um "indivíduo de apresentação calma, atitude comumente humilde de fisionomia, ora abatido, ora comunicativo".

O documento contrasta com a sua ficha da Marinha (fé de ofício), na qual são registradas punições por tentar ferir com uma garrafa um companheiro (em 1897), por ter entrado em luta corporal com outro soldado (em 1904) e por ter esbordoado um marujo (em 1908), briga da qual trazia uma grande cicatriz de ferimento à faca na omoplata direita.

Na anamnese do Hospital Nacional de Alienados, consta também uma informação desconhecida sobre sua nacionalidade, que até hoje provoca dúvidas nos que se propõem a estudar a vida de João Cândido: de que ele seria natural de Corrientes, na Argentina, segundo suas próprias declarações futuras, e não brasileiro de Rio Pardo, como de fato o era. Não se sabe se foi um erro, uma tentativa de João Cândido para escapar de punições, ou má-fé dos que o entrevistaram.

Consta ainda na anamnese que seu pai havia sido "alcoolista" e seu irmão "assassino", condenado a trinta anos de prisão. Na descrição física do paciente, está escrito: "O indivíduo tem estigmas físicos de degeneração, mais próprios da raça". Em outros documentos sobre João Cândido, arquivados na Marinha, chegam a descrevê-lo como sendo "feio", e fazem insinuações sobre sua opção sexual, com o claro propósito de desmerecer o líder da revolta de 1910.

Em um desses documentos, intitulado "Elementos autênticos da vida do ex-marinheiro João Cândido na Marinha de Guerra nos anos de 1896 a 1912", de autoria do capitão de mar e guerra Luiz Alves Bello, diz seu autor, maliciosamente: "Teria sido ele [João Cândido] ora inclinado para a seção de ré, ora para a de vante".

Passados os primeiros dias de internação no Hospital Nacional de Alienados, João Cândido acaba se acostumando com a rotina, muito mais agradável do que quando estava preso na Ilha das Cobras.

Ganha a simpatia dos enfermeiros, que não veem nele nenhuma periculosidade. Nas longas horas de ócio, quando não está lendo os jornais – sobretudo o *Jornal do Brasil*, o *Correio da Manhã* e o *Diário de Notícias*, seus preferidos –, distrai-se narrando aos funcionários os passos da revolta de novembro.

Tem várias oportunidades de fuga, mas não aproveita nenhuma. Os enfermeiros fazem vista grossa e o deixam passear pela cidade. Em uma dessas voltas, conhece, na rua da Passagem, uma viúva, enfermeira da Santa Casa da Misericórdia. Mantêm, sempre de madrugada, encontros demorados em sua casa.

No dia 13 de maio, João Cândido ganha de um enfermeiro, de quem havia ficado amigo, uma entrada para assistir à opereta "A saia-calção", de Costa Júnior, na inauguração do Teatro Chantecler.

Veste sua melhor roupa e vai. Logo à entrada, contudo, reconhece em um camarote distante dois ex-oficiais do *Minas Gerais*. Imediatamente deixa o teatro, para não ser reconhecido, e passa o resto da noite na casa da rua da Passagem, junto com a enfermeira. Só volta ao hospital às cinco da manhã.

Passados dois meses, está impraticável sua permanência no hospital, sem nenhum motivo aparente para a internação. Uma junta médica resolve então entregá-lo aos cuidados do governo, com a seguinte conclusão:

> Nunca observamos alucinação, nem delírios. Concluímos tratar-se de um indivíduo calmo, humilde, em perfeita orientação autopsíquica, memória conservada nas suas duas formas, boa atenção e percepção, associando bem as ideias, sendo perfeita a sua faculdade de julgamento, consciente do seu estado, chamando-nos unicamente a atenção o estado de depressão permanente, excessivamente acentuado nos primeiros dias, certo grau de enfraquecimento da afetividade e seu humor mais comumente reservado.

Com esse diagnóstico, o governo resolve colocá-lo novamente na prisão da Ilha das Cobras, junto dos demais rebeldes da Marinha. João Cândido leva para os companheiros cinquenta maços de cigarro, guardados no período em que estivera internado. Os cigarros são recolhidos pela guarda, logo na entrada do presídio.

São dezoito meses de prisão. Já debilitado, com os pulmões infiltrados pela tuberculose, magro e abatido, o Almirante Negro recebe a notícia de que ele e seus companheiros seriam defendidos no Conselho de Guerra por três advogados contratados pela Irmandade da Igreja Nossa Senhora do Rosário, protetora dos negros.

A irmandade, que lutara aguerridamente pela abolição da escravatura, contrata três dos mais ilustres advogados da época para defender os marujos: Evaristo de Morais, Jerônimo de Carvalho e Caio Monteiro de Barros. Os três aceitam a missão com uma condição: não receber nada pelos serviços prestados.

O julgamento tem início ao meio-dia de 29 de novembro de 1912 e dura quase 48 horas. O Conselho de Guerra reúne-se na mesma Ilha das Cobras onde os marujos estiveram presos, em um dos pavilhões restaurados do antigo Hospital da Marinha. João Cândido mantém-se o tempo todo tranquilo, calado, fitando de frente os juízes.

Passa da meia-noite do dia 1º de dezembro quando um defeito na rede elétrica deixa a ilha sem luz. Com lamparina a querosene, o Conselho de Guerra reúne-se secretamente, em uma sala ao lado de onde se encontram os réus, para julgá-los.

Perto das quatro horas da madrugada, o presidente da Corte volta ao recinto, junto dos demais membros do Conselho. Inicia a longa leitura da sentença que absolve os réus. Quando o dia amanhece, lê a conclusão:

Considerando, finalmente, que não existe nos autos nenhuma prova de que os réus tenham praticado qualquer ato que, autorizando a suspeita de participação na referida revolta, revista a figura jurídica do artigo 93 do Código Militar, e que as faltas que lhes são imputadas constituem simples infrações disciplinares, cujo conhecimento escapa da competência do Conselho de Guerra, artigo 219 do regimento citado, por unanimidade de votos julga não provada a acusação para o fim de absolver, como absolve, os réus João Cândido, Ernesto Roberto dos Santos, Deusdedit Teles de Andrade, Francisco Dias Martins, Raul de Faria Neto, Alfredo Mala, João Agostinho, Vitorino Nicácio de Oliveira, Antônio de Paula e Gregório do Nascimento, ficando, porém, suspensa a execução desta sentença em virtude da apelação necessária, interposta para o Supremo Tribunal Militar, na forma da lei.

Há um pequeno murmúrio depois de terminada a leitura. Os marujos absolvidos aproximam-se dos advogados.

Pela primeira vez, desde o início da revolta, em 22 de novembro de 1910, João Cândido é tomado pela emoção e chora. Discretamente, enxuga com um lenço as lágrimas e abraça Evaristo de Morais. Seus companheiros fazem o mesmo e depois o cumprimentam, como o líder de um movimento vitorioso.

João Cândido em foto de 1952, no entreposto de peixe da Praça XV.

4. Um homem escorraçado da história

Tuberculoso, depois de dezoito meses preso, sem dinheiro e apenas com a roupa do corpo, João Cândido, então com 32 anos de idade, chega a pensar em voltar para sua terra natal, Rio Pardo.

Procura seus oito irmãos, espalhados por diversos estados brasileiros, mas não acha nenhum. Em seguida, tenta localizar um colega de infância, de nome Protásio, que teria enriquecido e seria dono de terras no Arroio do Couto, no Rio Grande do Sul, segundo notícias que recebera. Escreve-lhe uma carta, mas não vem resposta.

Pensa em viajar em um navio para Porto Alegre, onde pode arranjar emprego em alguma embarcação que faz a linha entre a capital gaúcha e Rio Pardo. Não vai. Tenta ainda, em vão, arranjar emprego no Lloyd Brasileiro e na Costeira. Só ouve negativas.

Depois de receber roupas, algum dinheiro e sapatos da Irmandade da Igreja Nossa Senhora do Rosário, passa a frequentar a Praça XV, como desocupado. Lá conhece o carpinteiro Freitas, que tem uma oficina em Mocanguê e oferece-lhe um quarto.

Assim, João Cândido vai morar de favor na casa do carpinteiro, na rua Ipiranga, em Laranjeiras. Lá, passa a namorar uma das seis filhas de Freitas, a jovem Marieta.

A casa dos Freitas é próxima da do barão Homem de Mello, um historiador de destaque na época, que logo fica sabendo da presença do Almirante Negro nas redondezas. O historiador passa a ter encontros constantes com ele, a fim de conhecer detalhes da Revolta da Chibata.

Nesse período em Laranjeiras, sem nenhuma atividade profissional, João Cândido passa o dia vagando pelas ruas do bairro, sempre assediado para contar as histórias da revolta. Tem a popularidade de quem chefiou um dos mais importantes levantes dentro da Armada brasileira.

A notícia da presença de João Cândido no bairro chega aos ouvidos do caudilho Pinheiro Machado, que também mora em Laranjeiras. Movido pela curiosidade em conhecer de perto o homem que colocou a cidade sob a mira dos canhões, o caudilho o chama em sua própria casa.

Em um ato de incoerência, João Cândido vai à residência de Pinheiro Machado e mantém uma relação cordial com o homem que mandava no governo na época em que esteve preso em uma solitária, a pão, água e cal. Conversam por mais de duas horas como se fossem bons amigos. O caudilho, anos mais tarde, acabaria assassinado a facadas por um popular, que se dizia vingador de todos os males praticados pelo senador ao país.

Ao contrário de seu principal algoz, que acaba na ponta de uma faca, a vida de João Cândido dá sinais de melhora. Já noivo, o Almirante Negro arranja colocação entre a tripulação do veleiro *Antonico*, que transporta açúcar para o sul do país. O barco, que tem apenas quatrocentas toneladas e uma pequena tripulação de catorze pessoas, é de um angolano naturalizado brasileiro, residente em Paranaguá.

Depois de ter conduzido com maestria o *Minas Gerais*, não é difícil para João Cândido mostrar perícia na condução do *Antonico*. Na primeira viagem, na altura de Angra dos Reis, salva o navio do naufrágio em um temporal.

Em Santos, o veleiro descarrega açúcar e embarca um carregamento de café para ser transportado para Itajaí e São Francisco, em Santa Catarina. Em Paranaguá, o dono do *Antonico* desembarca doente e entrega o comando do barco a João Cândido. É a primeira vez em sua vida que veste a farda de comandante.

Na noite de 24 de dezembro de 1913, João Cândido encosta o *Antonico* no porto do Rio de Janeiro, depois de meses no mar. Seu Natal será diferente dos anteriores, sobretudo daquele de 1910, quando preso na solitária da Ilha das Cobras.

O Almirante Negro ganha uma boa gratificação do dono do barco, José d'Almeida Santos. Compra roupas novas e traz de Santa Catarina, para sua noiva, cortes de tecidos para vestidos. Logo depois do Natal, João Cândido, aos 33 anos, casa com a filha do carpinteiro na Igreja da Glória. Na cerimônia, alguns ex-marinheiros comparecem para homenagear o chefe da revolta de 1910. O noivo, no altar, com um terno bem cortado, em nada lembra o marujo que, com um lenço vermelho amarrado no pescoço, comandara o *Minas Gerais*.

O período de certa fartura e conforto dura pouco mais de um ano. Quando já tem seu primeiro filho e vive a melhor fase de sua vida, João Cândido é demitido pelo dono do *Antonico*. Motivo: o comandante dos portos de Santa Catarina, Ascânio Montes, reconhece o Almirante Negro como o homem que o aprisionou no *Minas Gerais*, durante a Revolta da Chibata.

Montes servira em 1910 no *Minas Gerais*, como oficial de maquinista, e três anos depois usa seu cargo para pedir a demissão de João Cândido do *Antonico*.

Desempregado, sem dinheiro para sustentar mulher e filho, o Almirante Negro aceita a primeira oferta que lhe fazem e embarca no cargueiro *Ramona*, que faz a linha Vitória-Paranaguá, levando café e trazendo cereais.

Não é contratado dessa vez como timoneiro, mas como empregado na descarga. Ex-tuberculoso e com a saúde permanentemente debilitada, não aguenta o trabalho pesado e acaba, em uma das viagens, internado na Santa Casa de Santos, com uma recaída de infecção pulmonar.

Ainda tenta continuar na vida de marinheiro e é contratado como tripulante de um veleiro de nome *Miarim*, uma ex-galera alemã que faz a linha Rio-Buenos Aires.

Em uma das viagens, o veleiro encalha num banco de areia, no Rio da Prata. Novamente a perícia do Almirante Negro serve para salvar navio e tripulação de um acidente maior.

Quando chegam ao porto, um jornalista portenho fica sabendo que o responsável pelo feito é o mesmo marinheiro que comandara a Revolta da Chibata no Brasil. O fato traz de novo notoriedade a João Cândido, e ele acaba contratado, uma vez mais, para conduzir uma embarcação: dessa vez, o navio *Ana*, da famosa empresa Carlos Hoepcke e Cia.

O navio faz o transporte de passageiros entre Florianópolis e Rio de Janeiro. É uma embarcação de luxo, que realiza viagens mensais e necessita de alguém com experiência para o timão. É tudo o que João Cândido quer e precisa. A alegria, entretanto, volta a durar pouco. Dois meses depois, é avisado que seria demitido a pedido do mesmo comandante dos portos de Santa Catarina.

João Cândido não esmorece. Consegue novo emprego, até ser reconhecido e rechaçado pelas autoridades. Anos depois, em uma entrevista, relembra seu calvário:

> Queria seguir a vida do mar. Embarcava. Fui para a Marinha Mercante, embarcava hoje aqui, chegava no primeiro porto, os oficiais da Marinha cassavam meus direitos. Diziam que eu não podia embarcar, pois era revoltoso. Fiz uma viagem para a Argentina. Cheguei no Rio Grande do Sul, o capitão do porto me cassou os papéis. Voltei para o Rio. Cheguei aqui, procurei o almirante Alexandrino, que era ministro da Marinha nesta época [ele voltara ao Ministério em 1913, no governo de Venceslau Brás]. Ele pelo telefone chamou o capitão dos portos e disse: "Entregue os papéis de João Cândido imediatamente, eu também fui revoltoso e sou ministro da Marinha". [Alexandrino se referia ao fato de, em 1893, ainda como capitão de fragata, ter participado da Revolta da Armada, contra a pouca atenção dada à Marinha pelo então presidente da República, marechal Floriano Peixoto.]

Mas a ingerência de Alexandrino já não tinha tanto efeito. João Cândido consegue uma vez mais recuperar seus documentos, porém, seu nome já está minado até dentro da Marinha Mercante. Segue-se uma rotina de desemprego, sem perspectivas de recolocação.

Os anos passam. Com a saúde debilitada para o trabalho na estiva, João Cândido tenta, em vão, ocupação na Central do Brasil. Recebe um convite para trabalhar na polícia. Artur Bernardes acaba de assumir a presidência da República e o chefe da Polícia, marechal Fontoura, reprime a ferro e fogo todo movimento político contrário ao governo.

Na campanha eleitoral de 1921, uma facção do Exército, rebelde ao governo, apoia o candidato oposicionista Nilo Peçanha. A vitória de Artur Bernardes e, portanto, a derrocada da oposição, frustra a liderança militar rebelde. Nesse contexto, desponta o movimento tenentista.

O chamado ciclo tenentista tem início com a rebelião do Forte de Copacabana, conhecida como "Os 18 do Forte". Desdobra-se em outros movimentos, como a Revolução de 1924, em São Paulo, e a marcha da Coluna Prestes, iniciada em 1925 e que, por dois anos, percorre milhares de quilômetros no interior do Brasil, até dissolver-se no interior da Bolívia. O ponto culminante do movimento se dá com a Revolução de 1930.

Pensam em João Cândido na polícia para agir como delator. Ele não aceita. Prefere usar seus últimos recursos, derradeiros cem cruzeiros, para comprar um pequeno barco, um caíque. Com ele, passa a pescar na praia de Santa Luzia e, depois, vende os peixes no mercado.

Em 1917, a mulher de João Cândido morre com uma infecção intestinal. O Almirante Negro passa, então, três anos sozinho, enfrentando dificuldades financeiras. Sabe-se de apenas uma namorada nesse período, uma mineira alta, chamada Maria Antônia, com quem tem um relacionamento rápido, não chegando nem mesmo a ir à sua casa.

Em 1920, já com 40 anos, o Almirante Negro conhece aquela que seria o grande amor de sua vida: Maria Dolores, uma jovem de 18 anos, da cidade de Cantagalo (RJ), filha de pai português e mãe brasileira.

Mulata, de uma beleza que encanta até mesmo os mais insensíveis, Dolores impressiona profundamente o ex-marinheiro, até então acostumado a amores passageiros – "uma mulher em cada porto" –, apesar de já ter sido casado uma vez.

Os dois se conhecem em um precário parque de diversões montado no subúrbio carioca. João Cândido gosta do jogo de argolas e se distrai por ali em suas folgas. Os olhos verdes de Maria Dolores fascinam o marinheiro logo de cara. Ela, por sua vez, sente-se atraída pela postura madura e séria do Almirante Negro.

Nem um mês de namoro, decidem viver juntos e, por falta de dinheiro, vão morar na periferia, em São João de Meriti – a essa época um município distante, em que se chegava apenas por trem, na maria-fumaça da Central do Brasil. Os dois têm quatro filhos, um atrás do outro. João Cândido está novamente empregado. Firma-se no trabalho pesado de descarga de peixes, no mercado da Praça XV. Trabalha durante a noite e pelas madrugadas, dormindo poucas horas durante o dia. Não são raras as vezes em que amanhece em casa alcoolizado, resultado das noites passadas na base da cachaça, para espantar o frio e a umidade da madrugada.

Algumas vezes leva os filhos pequenos para passarem a noite com ele na Praça XV, contra a vontade da mulher, que tem medo de as crianças presenciarem suas bebedeiras. Os meninos ficam em cestos vazios, dentro dos barcos, enquanto o pai descarrega os cestos cheios de peixes para o mercado. O trabalho é duro e desgastante.

Durante o dia, nas poucas horas de que dispõe para dormir, João Cândido transtorna-se em brigas com sua jovem mulher. Ela sente ciúmes do Almirante Negro e imagina que ele mantém relações com outras mulheres, nas madrugadas em que fica sozinho na Praça XV.

A vida conjugal transforma-se num inferno. As brigas do casal são muitas. Violento, João Cândido chega a agredir a mulher quando cobrado em exagero. Apesar de ainda muito jovem, Maria Dolores sente-se frustrada, com quatro filhos para criar e cada vez mais longe do marido.

Em uma das brigas, Maria Dolores deixa os filhos menores com uma parenta, em Vaz Lobo, também na Baixada Fluminense, e segue com as duas maiores – Nauçá, de 8 anos, e Zelândia (nome escolhido em homenagem a um navio da Nova Zelândia), de 4 anos – para a casa de sua madrinha, na rua Bambina, em Botafogo.

O casal passa alguns dias separado. João Cândido quer a reconciliação, mas resolve dar um susto na mulher e não a procura, inicialmente. Em uma crise de ciúme e imaturidade, Maria Dolores decide fazê-lo arrepender-se da indiferença dispensada a ela.

Manhã de 13 de setembro de 1928. Maria Dolores dirige-se com as duas filhas, que a acompanham na casa da madrinha, à Praia de Botafogo. Na noite anterior, descobre estar novamente grávida e fica enlouquecida. Antes de sair da rua Bambina com as meninas, Maria Dolores pega um litro de álcool e o embrulha num saco de papel. Passa pelo portão, chorando, e diz baixinho: "Ele vai se arrepender de tudo que me fez".

Ao chegar à praia, deixa as crianças junto à cerca que separa a areia da rua e dirige-se, sozinha, para perto do mar. Lá, joga álcool sobre suas roupas e ateia fogo. Com o corpo em chamas, sai correndo e se debatendo.

A cena chama a atenção de transeuntes, que correm para ajudá-la, abafando o fogo com a lona utilizada por um vendedor ambulante. As duas filhas, estáticas, assistem a tudo em estado de choque. A mais velha, Nauça, não consegue pronunciar uma palavra sequer, o que dificulta a identificação da vítima por parte da polícia.

As queimaduras em Maria Dolores não são muitas, já que os passantes conseguem abafar o fogo com rapidez. Ocorre que, enquanto se debate, Maria Dolores cai no chão e bate com violência a barriga na quina da calçada, o que provoca uma grande infecção.

A mulher de João Cândido é hospitalizada no Hospital Souza Aguiar, nessa ocasião chamado Hospital do Pronto-Socorro. O Almirante Negro é avisado somente naquela noite, quando está no mercado da Praça XV.

"Por que ela fez isso? Eu estava para ir lá na casa da madrinha para buscá-la", diz.

Maria Dolores permanece quinze dias no hospital. João Cândido a visita diariamente, antes de ir para a Praça XV. Fica parado, mudo, ao lado do leito da mulher, apenas olhando seu lindo rosto envolto em curativos. Em uma dessas noites, antes de chegar à enfermaria, é informado pelo médico de que a mulher não suportara os efeitos da infecção e morrera.

Maria Dolores é enterrada no cemitério São João Batista; enterro pobre, em cova rasa. Presentes apenas João Cândido e os filhos. No final, um grupo de marujos do *Minas Gerais* chega trazendo uma coroa de flores, com os seguintes dizeres: "Homenagem dos marujos à esposa do amigo João Cândido".

Um dos marinheiros, ainda bem jovem, vestindo seu uniforme, aproxima-se de João Cândido, dá-lhe um abraço em nome do grupo e diz: "A sua história ficou na Marinha. Hoje não apanhamos, temos soldo regular e comemos bem. Agradecemos tudo isso ao senhor".

Manhã de maio de 1929. João Cândido e sua filha Zelândia, ela com 5 e ele com 49 anos de idade, entram em uma pequena venda de São João de Meriti para comprar mantimentos. Enquanto esperam no balcão, escutam a conversa de dois desocupados que, sem saber ser ele o Almirante Negro, fazem elogios ao líder da Revolta da Chibata: "Nunca o governo esteve tão entregue como nas mãos daquele negro marinheiro", diz um deles. "Homens assim só aparecem a cada mil anos", completa o outro.

A filha de João Cândido, muito esperta para a idade que tem, logo percebe que estão falando de seu pai e o cutuca. Em casa, leva uma bronca do pai: "Aqui, nesse bairro, eu sou apenas João. Acabou o marinheiro. Não quero que ninguém saiba quem sou eu". Depois da morte da esposa, João Cândido tenta como pode reconstruir sua vida. Inicialmente, tem problemas com a família de Maria Dolores para reaver os filhos. Os parentes dela pensam que ele é um marinheiro boêmio, irresponsável, mulherengo, sem condições de manter as crianças. Diante disso, é obrigado a chamar a polícia para retirá-los da casa da madrinha da mulher.

A cena é chocante: Nauça, a mais velha, agarra-se às pernas da madrinha e grita que o pai é o culpado pelo que acontecera com a mãe. O policial chamado tenta acalmar os ânimos, mas acaba ameaçando usar a força para retirar as crianças. Todos saem chorando.

Os primeiros dias de convívio com o pai, sem a mãe, são difíceis. Com o tempo, contudo, as mágoas vão se dissolvendo, e a rotina acalma a relação. O Almirante Negro continua morando com os filhos na casinha de São João de Meriti.

Durante o dia, procura ficar com eles; nas madrugadas que passa na Praça XV, deixa-os aos cuidados da mais velha, Nauça, com quem teria problemas de relacionamento ao longo de toda sua vida.

Apesar das dificuldades, a vida vai entrando nos eixos e certa dose de alegria toma conta da casinha de São João de Meriti. Nos finais de semana, é comum o Almirante Negro receber amigos para rodas de música. Tocam banjo, cavaquinho e a música preferida de João Cândido, *Cisne branco*. Com sua voz rouca, ele chega a se emocionar com o verso: "Qual cisne branco que em noite de lua vai deslizando num lago azul, o meu navio também flutua, nos verdes mares de Norte a Sul". As rodas de música são acompanhadas de cachaça e pedacinhos de torresmo, como tira-gosto.

Em setembro de 1930, João Cândido é novamente preso. Está em Vigário Geral e é detido por ordens do delegado Oliveira Sobrinho, da Polícia Política. O ex-marinheiro tivera um encontro com lideranças que conspiravam contra o governo de Washington Luís, na casa do bicheiro João Pallut, que financiava dois pequenos jornais de esquerda, *A Batalha* e *A Esquerda*.

Embora afastado da Marinha e da luta sindical que travara em 1910, João Cândido ainda é procurado por lideranças políticas, sobretudo de esquerda, que veem nele um símbolo da resistência.

O cenário político do país está novamente conturbado. Washington Luís não consegue, ao longo de seu governo, deter a marcha que culmina com a Revolução de 30, iniciada pelos oficiais rebelados, em 1922. A luta operária contra o governo também ganha força.

No Rio de Janeiro, em 1927, aparece o primeiro diário comunista, *A Nação*, que incita os deputados oposicionistas a formarem o Bloco Operário e Camponês (BOC), que passa a operar em todo o território nacional.

João Cândido permanece na cadeia um dia inteiro e, depois que os líderes esquerdistas garantem que ele não faz parte do movimento, é liberado, porém, sob vigilância.

Em sua casa, na periferia da cidade, seus filhos ficam abalados com a prisão. Um colega do entreposto da Praça XV vai avisá-los de que o pai fora preso e as crianças imaginam não vê-lo mais.

Passado o susto, o Almirante Negro chega à conclusão de que não poderia mais deixar os filhos sozinhos. Pode ser preso a qualquer momento. Corre o risco de deixar os quatro sem ter o que comer. Com a mais velha, Nauça, já não pode mais contar. Ela conhece um rapaz mais velho, branco e abonado, com quem está se relacionando. Isso causa grande desgosto a João Cândido, que volta e meia se pega discutindo com a filha: "Você está agindo como alguém que não presta", diz ele. "O senhor já desgraçou a vida da minha mãe e agora quer desgraçar a minha", responde a menina.

Quando vivem o auge dessa crise, surge na vida de João Cândido uma nova companheira, uma mulher do interior do estado, da cidade de Paraíba do Sul, chamada Ana do Nascimento.

Ana é de família pobre e tem uma história triste para contar: fora estuprada na adolescência na própria casa em que trabalhava, em Paraíba do Sul, pelo filho do patrão. Desse ato de violência traz um filho, Lourival, já com 10 anos de idade.

João Cândido e Ana se conhecem no trem da Central, nas intermináveis viagens do subúrbio até o centro da cidade. Resolvem "juntar os trapos" e continuam morando em São João de Meriti, em outra casinha, no distante bairro de Vila Rosali. Ana traz uma certa paz ao lar de João Cândido.

Ele, por sua vez, está com a saúde cada vez mais debilitada. As frias e úmidas madrugadas no entreposto de peixe fazem com que a tuberculose volte a atacá-lo. Dessa vez, a doença vem com mais força. O ex-marinheiro demora para ser medicado. Continua trabalhando mesmo com febre alta.

Chega a ser socorrido pelos companheiros da Praça XV, suando muito e sem forças para permanecer em pé.

Com a ajuda do repórter Carlos Cavalcanti, que se interessa pela história do Almirante Negro, João Cândido é internado no Hospital São Francisco de Assis e lá recebe alguma ajuda financeira de praças da Marinha que o admiram. Fica um mês hospitalizado. Quando sai de lá, quase não tem condições físicas para aguentar as madrugadas no entreposto de peixes. Mesmo assim, persiste no trabalho, para poder levar comida para casa.

As eleições presidenciais de 1º de março de 1930 dão vitória à chapa da situação, com Júlio Prestes e Vital Soares para presidente e vice-presidente, respectivamente. O pleito, entretanto, é logo apontado como fraudulento.

Antes disso, é formada a Aliança Liberal, encabeçada por lideranças de Minas Gerais, Rio Grande do Sul e Paraíba, contra a candidatura oficial do governo. O movimento, que ganha o apoio dos militares rebeldes, lança os nomes de Getulio Vargas (governador do Rio Grande do Sul) e de João Pessoa (da Paraíba) para a sucessão presidencial.

Depois da derrota para os candidatos do governo, numa eleição supostamente marcada por fraudes, Getulio lança, em 1º de maio, um manifesto à Nação, no qual apela para que o povo reaja contra as fraudes eleitorais.

Em 26 de julho, João Pessoa é assassinado no Recife, o que agrava o quadro político e propicia o avanço revolucionário. O movimento militar oposicionista está cada vez mais forte e a revolução tem início em 3 de outubro. No dia 24 do mesmo mês, a 21 dias do término de seu mandato, Washington Luís é deposto por uma junta de generais.

Não se entrega imediatamente: "Eu não renuncio, só aos pedaços sairei daqui", afirma de início. Tem de ceder. É preso, deixa o Palácio em companhia do cardeal Dom Sebastião Leme, para ser recolhido no Forte de Copacabana, de onde parte dias depois para o exílio.

É constituída uma junta governista militar, que tenta ficar no poder. No dia 3 de novembro de 1930, entretanto, as forças civis que comandaram a revolução conseguem passar o comando da junta governista a Getulio Vargas, na qualidade de chefe do governo provisório. É feito um acordo com os militares da junta governista e a eles são entregues três ministérios do novo governo: os da Guerra, da Marinha e das Relações Exteriores. Aos "tenentes" são distribuídas interventorias nos estados, com o objetivo de quebrar o poder das oligarquias regionais.

Em julho de 1932, tem início a Revolução Constitucionalista em São Paulo. Apesar de vitorioso, Getulio tem de fazer concessões aos derrotados. A principal delas é a convocação de eleições para a Assembleia Constituinte, marcada para 5 de maio de 1933.

A nova Constituição, promulgada em 16 de julho de 1934, aprova a eleição indireta do presidente seguinte pela própria Constituinte. Getulio é então eleito pelo Congresso.

A crise política continua, e o governo passa a viver em constante conflito com as forças políticas tradicionais do Congresso. Passa a ser pressionado também por movimentos de grande conteúdo ideológico, como a Aliança Nacional Libertadora (ANL), de esquerda, e a Ação Integralista Brasileira (AIB), de direita.

João Cândido, sempre atento aos movimentos políticos do país, acompanha de perto, embora sem se filiar, o surgimento da Aliança Nacional Libertadora, que empolga o Brasil em menos de seis meses.

Em 1932, entusiasma-se ainda mais com o aparecimento da Ação Integralista Brasileira, que se infiltra rapidamente entre jovens praças e oficiais da Marinha de Guerra. O Almirante Negro, assediado por toda liderança política que desponta, é chamado pelo líder integralista Plínio Salgado, de tendências fascistas e nazistas, que pretende ter um aliado popular entre os marinheiros.

Na ilusão de que o movimento sacudiria a Marinha e o país, João Cândido ingenuamente filia-se ao núcleo integralista da Pavuna e chega a vestir a camisa verde, uniforme do movimento, junto com a calça escura, a gravata preta e a braçadeira no braço esquerdo.

Os integralistas saúdam-se uns aos outros com a palavra tupi *anauê*, que quer dizer salve ou ave. Têm como características o anticomunismo, a simpatia pelo fascismo europeu, o nacionalismo, a oposição ao sistema político liberal e o respeito aos valores autoritários, como a disciplina e a ordem. Considerando-se traídos pelo presidente Getulio Vargas com a implantação do Estado Novo e pelo totalitarismo exagerado, os integralistas tentam, em 11 de maio de 1938, um golpe de força, assaltando o Palácio Guanabara, residência do presidente da República. Entre eles está o Almirante Negro, com seus 58 anos de idade.

"No dia da marcha acreditei na vitória", diria João Cândido anos mais tarde. "Estava certo de que o presidente Getulio Vargas e seus ministros ficariam prisioneiros dos duzentos mil homens que paralisaram por completo a vida da cidade, durante oito horas."

Mas, segundo o Almirante Negro, faltou um chefe de coragem ao movimento, que fracassa e culmina com a prisão de

Fernando Granato

centenas de integralistas, sobretudo legiões de marinheiros que chegam a ter as carnes queimadas a maçarico. Mais uma decepção na vida de João Cândido, principalmente quando fica sabendo que o líder do movimento, Plínio Salgado, conseguira fugir incólume para um agradável exílio na cidade de Estoril, em Portugal.

Noite de 10 de outubro de 1938. A filha mais velha do segundo casamento de João Cândido, Nauça, com 18 anos, deixa a casa da Vila Rosali chorando. As discussões com o pai tornam-se insuportáveis, apesar das intervenções de Ana no sentido de uni-los. O namoro com o rapaz branco e rico, Sebastião Aquino, ganha maiores proporções. João Cândido chega a esbofeteá-la em público, chamando-a de "vagabunda".

Nauça sai de casa levando um saco de papel nas mãos. Dirige-se aos armazéns ferroviários da Pavuna, nas imediações de São João de Meriti. Parecendo transtornada, encosta-se em uma pequena murada, abre o saco de papel e retira um vidro com álcool. Despeja o conteúdo no corpo. Em seguida, risca um fósforo e sai correndo em chamas.

A cena é idêntica à ocorrida com sua mãe, há exatos dez anos, na Praia de Botafogo. Por ter presenciado o gesto de desespero da mãe, Nauça jamais esqueceria aquela imagem da mulher, gritando em meio às labaredas.

A menina tinha sonhos horríveis com a morte da mãe e dizia com frequência à irmã mais nova: "Um dia eu vou fazer o que minha mãe fez".

No momento em que Nauça atiça fogo em seu corpo, João Cândido está a caminho do entreposto da Praça XV. Quando chega ao mercado, é avisado por um colega da tragédia. Sem deixar cair uma lágrima, diz apenas: "Essa menina é muito parecida com a mãe".

Dirige-se ao Hospital do Pronto-Socorro, o mesmo em que Maria Dolores estivera internada uma década antes.

É como se estivesse voltando no tempo e revendo uma cena ocorrida há uma década. O percurso que faz até chegar ao hospital é o mesmo, a entrada permanece igual e até a enfermeira é a mesma que cuidou de Maria Dolores depois daquele ato desesperado.

Durante uma semana, essa enfermeira, uma negra de olhos grandes, que parecia no olhar recriminá-lo pelo que acontecera com a esposa e a filha, limpa cuidadosamente as feridas que tomam conta de todo o corpo de Nauça.

Passados sete dias, numa manhã de muito sol e calor, o Almirante Negro acorda com um sobressalto. Dá um pulo da cama e tenta juntar as ideias. Tem a certeza de que a filha está morta no hospital. Sente uma mistura de culpa, tristeza e mágoa pelo destino sórdido que o acompanha. Acorda seus filhos e diz: "Nauça morreu. Vocês se aprontem e vamos para o hospital".

Carrega o caixão da filha. Faz orações na beira do túmulo. Volta para casa envolto em uma melancolia que o acompanharia até o último de seus dias.

Um pequeno acidente no entreposto da Praça XV, enquanto faz o descarregamento de peixes, ocasiona fortes dores no joelho de João Cândido. Além disso, volta e meia sofre recaídas da tuberculose, que lhe trazem febre alta e tosse seca.

Mesmo assim, o Almirante Negro continua na sua rotina de embarcar no trem da Central, de madrugada, para trabalhar na Praça XV.

Volta do trabalho antes do meio-dia. Gosta de tomar sopa e, de sobremesa, come arroz-doce. Dorme um pouco e logo está na esburacada estação de São João de Meriti, à espera do trem da Central.

Em uma manhã de 1952, aos 72 anos de idade, é reconhecido por um repórter de *O Globo* nas ruas de Coelho da Rocha. Vestido modestamente, com calças mais parecidas com as de um pijama – como observou o repórter –, João Cândido vai logo avisando: "Não falo à imprensa. Quero ser um joão-ninguém, um homem que está precisando mais de dinheiro do que de publicidade".

O jornalista insiste muito e, incomodado, ele afinal consente: "Vá amanhã ao mercado de peixes e fotografe-me à vontade. Mostre ao povo como vivo".

A reportagem, com o título "Um homem escorraçado da História", termina assim: "E aí está um esboço desse homem estranho, morador quase incógnito de Vila Rosali, onde o fomos encontrar. Está em paz e quer morrer sossegado, trabalhando".

Em 1953, aos 73 anos de idade, João Cândido volta novamente às manchetes dos jornais. E é também pelos jornais que o Almirante Negro fica sabendo que o *Minas Gerais* seria vendido como sucata, em concorrência pública. Tiraram todo seu armamento, maquinário, instalações elétricas e turbinas.

De madrugada, João Cândido embarca em seu caíque no cais do Mercado. Ruma para o ancoradouro onde está o *Minas Gerais*. A cena é presenciada de longe pelo repórter Aôr Ribeiro.

Na manhã seguinte, quando a carcaça do navio parte para a Itália, arrastada lentamente por um rebocador, os leitores se emocionam com o relato de Ribeiro:

O barco rumou para o ancoradouro, onde estava o *Minas Gerais*, já desarmado, sem a torre, preso a dois rebocadores de alto-mar. O seu antigo comandante, dos dias agitados de novembro de 1910, beijou o casco cheio de ferrugem do vaso de guerra que foi orgulho do Brasil. Acariciou-o e não conteve as lágrimas. Aquela belonave, reduzida à humilhante condição de um montão de ferro velho, era um pedaço de sua vida.

João Cândido em foto tirada em 1968, um ano antes de morrer, na varanda de sua casa, em Coelho da Rocha.

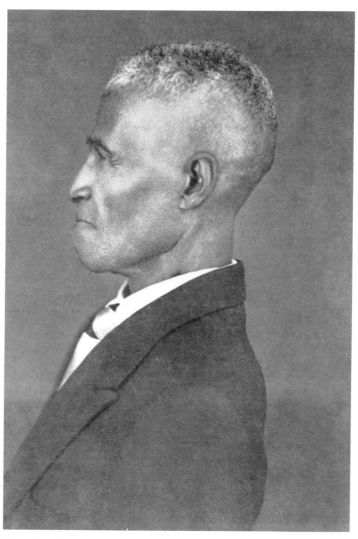
João Cândido em foto de 1962.

5. Os últimos anos de vida

Duas horas da tarde de 2 de dezembro de 1960. Na casa de João Cândido, em Vila Rosali, treze pessoas, entre parentes, amigos e testemunhas, junto com o reverendo Nézio Rodrigues, da Igreja Metodista, preparam-se para a cerimônia de casamento do Almirante Negro, então com 80 anos, com Ana do Nascimento.

Os dois vivem juntos há trinta anos, mas, "por um ato de amor e fé", como diz o noivo, resolvem oficializar a união. João Cândido não preparara nenhuma festa. Só oferecem aos convidados guaraná e água gelada.

Entre os presentes, estão cinco repórteres que ficaram sabendo da cerimônia e resolvem registrá-la. Também testemunham o ato os amigos Manuel Teixeira da Silva e Rosalina de Oliveira da Silva, dois velhos companheiros da família. Para completar a união, segundo os princípios da Igreja Metodista, os dois devem ser batizados na manhã seguinte, no templo do bairro.

Pouco antes da cerimônia, um dos genros de João Cândido, casado com Zelândia, passa na residência da Vila Rosali, vindo do hospital, com o tórax engessado. Sofrera naquela manhã um acidente de carro.

O Almirante Negro examina o rapaz, de quem gosta como se fosse um filho, dá ordens para que o levem para casa. Em seguida, cabisbaixo, chama o pastor para dar início à cerimônia do seu casamento e comenta: "Não há alegria completa. Aliás, isso é bom, pois se tudo fosse beleza e maravilha, a gente, na realidade, não compreenderia o prazer".

Em 1961, a Sociedade Floresta Aurora promove a ida de João Cândido ao Rio Grande do Sul. Aos 81 anos de idade, o Almirante Negro será homenageado em Porto Alegre e em sua terra natal, Rio Pardo.

Vai de avião, um Convair, na companhia do filho caçula, Candinho. Veste um terno de casimira azul, com uma gravata colorida comprada especialmente para os eventos.

Na capital gaúcha, o vereador Landell de Moura encaminhara à Câmara Municipal um projeto de lei para conceder o título de Cidadão de Porto Alegre a João Cândido. O Almirante Negro seria recebido também no Palácio Piratini pelo governador Leonel Brizola e ganharia um busto em praça pública. Oficiais da Marinha, que servem no Distrito Naval, com sede em Porto Alegre, entretanto, fazem pressão contra as homenagens, que, segundo eles, exaltam um "comunista".

O título de cidadão é negado à última hora. O busto desaparece. A audiência com o governador é cancelada. João Cândido, já acostumado a essas reações, afirma com ironia: "O contrário é que me surpreenderia".

Em Rio Pardo, as solenidades também são desmarcadas, em função do falecimento do vigário local. Nessa cidade, contudo, a Câmara aprova uma pensão de cinco mil cruzeiros para o Almirante Negro. Isso faz com que os deputados estaduais se apressem em aprovar uma pensão de oito mil, tornando inválida a primeira. Afinal, a viagem não é em vão e João Cândido passa a receber a ajuda, no Rio de Janeiro, por meio do Banco da Província.

Aquela não foi a primeira vez em que cogitaram conceder uma pensão a João Cândido. Em 1960, o deputado federal Jonas Bahiense apresenta um projeto de lei, no Palácio Tiradentes, para que lhe seja concedida uma pensão, assegurando-lhe todas as vantagens do posto de suboficial.

A proposta não passa na Comissão de Justiça. Por pressão de 33 jornalistas credenciados na Câmara Federal, o deputado Estácio Souto Maior serve de porta-voz para outro projeto, que concede pensão mensal de cinco mil cruzeiros a João Cândido. Esse também não chega à votação. Desaparece na gaveta do deputado.

O assunto passa a ser discutido também pela imprensa. Em um artigo de *O Estado de S. Paulo*, o almirante Carlos Penna Botto revela o argumento dos que são contra a pensão:

> Os que querem conceder pensão a João Cândido, conscientemente ou não, fazem o jogo dos comunistas, na incerta e difícil hora que atravessamos, e procuram deliberadamente atirar os oficiais da Marinha contra o pessoal subalterno, portando-se, assim, como valiosos inocentes-úteis da 5ª coluna bolchevista.

Mas em 1961 os argumentos contrários não conseguem barrar a aposentadoria concedida pela Assembleia Legislativa do Rio Grande do Sul. Nesse mesmo ano, já completamente abatido pela falta de saúde, João Cândido pode ter um pouco de folga financeira. Além da pensão dos deputados gaúchos, recebe das mãos do governador da Guanabara, Roberto Silveira, um cheque de duzentos mil cruzeiros, da verba de representação pessoal do gabinete, para construir uma casa própria.

É recebido por Roberto Silveira no Palácio do Ingá, em Niterói. O governador chama os chefes das casas Civil e Militar e determina que façam prontamente o cheque.

Candinho, o filho de João Cândido, compra um terreno na periferia de São João de Meriti, na rua Turmalina, lote 18, quadra 50, em Coelho da Rocha.

Ali João Cândido vive seus últimos anos, em uma casa própria, construída sobre um barranco, numa rua sem asfalto, empoeirada. A casa, que existe até hoje e abriga a família da filha de Candinho, tem dois quartos, cozinha, banheiro e um terraço, onde o Almirante Negro pôde ter alguma tranquilidade, lendo seus jornais e ouvindo rádio.

Em 1964, pouco antes do golpe militar, o Almirante Negro, já bem velho, aos 84 anos, é de novo assediado por forças políticas duvidosas, como ocorrera com o integralismo de Plínio Salgado.

É chamado para reuniões pelos marinheiros liderados pelo cabo Anselmo, suposto agente da CIA. Chega a receber presentes e gêneros alimentícios da Associação dos Marinheiros e Fuzileiros Navais do Brasil em seu aniversário.

O cenário político está novamente conturbado. O governo de João Goulart oscila, desde o início, entre a composição com os partidos e a pressão sobre as instituições regulares, como o próprio Congresso, por meio de sindicatos e associações de esquerda.

Entre 20 e 25 de março de 1964, é detonada no Rio de Janeiro uma rebelião de marinheiros, que se abrigam na sede de um sindicato, num subúrbio da Central. De lá passam a desafiar as ordens superiores.

João Cândido é chamado a comparecer. Seu nome ainda é respeitado entre a marujada e daria credibilidade ao movimento. Cético, o Almirante Negro vai. Apenas ouve e, na saída, confidencia, desiludido, a um colega: "Revolta de marinheiro só dá certo no mar".

Por sorte, vai embora antes da repressão. Com o auxílio do Exército, o ministro da Marinha cerca o sindicato e prende os rebeldes. Dias depois, contudo, tem de soltá-los, por determinação pessoal do presidente da República.

O ministro da Marinha demite-se. É nomeado para seu lugar o almirante reformado Paulo Mário da Cunha Rodrigues que, antes de empossar-se, reúne os jornalistas para fazer uma ostensiva crítica a todo o comando da Marinha. Está criada uma irremediável batalha entre o governo e as Forças Armadas.

A crise agrava-se quando, em 30 de março, o próprio presidente João Goulart, contra a opinião de seus conselheiros, vai à sede do Automóvel Clube do Brasil, no Rio de Janeiro, onde sargentos das Forças Armadas e das Forças Auxiliares expressam seu apoio ao presidente da República. João Cândido também é convidado, mas dessa vez não comparece.

As homenagens no Automóvel Clube precipitam o golpe militar. O marechal Odílio Denys encontra-se com o governador de Minas Gerais, José de Magalhães Pinto, e com os generais Olímpio Mourão Filho e Carlos Guedes, que servem naquele estado. Definem que havia chegado o momento de depor o presidente da República, em nome da salvação da legalidade e da volta da hierarquia.

Denys fora ministro da Guerra no governo de Jânio Quadros e deixara o cargo no dia da posse de João Goulart. É o principal conspirador contra o governo de Goulart e o autor da costura política para que, além de Minas, adiram ao golpe militares de alta patente e políticos do Rio de Janeiro e de São Paulo.

Diante da reação dos militares, João Goulart dirige-se a Brasília e depois a Porto Alegre. Consegue evadir-se de avião para o Uruguai, onde passa a viver no exílio.

Vêm os anos de chumbo. O Almirante Negro, já quase sem enxergar, procura ficar incógnito em sua casinha da rua Turmalina. Sai de lá apenas para fazer compras. Usando uma bengala, vai a pé até o centro do subúrbio, onde compra mantimentos em um pequeno armazém. Gosta de receber os filhos e netos para a macarronada de domingo, único dia da semana em que se permite regalias. A comida não é farta na casa de João Cândido.

Vinte e nove de março de 1968. Onze horas da manhã. Um táxi busca João Cândido na rua Turmalina. A corrida é contratada pela diretoria do Museu da Imagem e do Som (MIS). O Almirante Negro é convidado a prestar um depoimento histórico sobre a Revolta da Chibata e sua vida de herói da primeira revolução do século.

O depoimento é secreto, em função do conturbado momento político que o país atravessa. O nome de João Cândido é sugerido pelo professor Darcy Ribeiro para inaugurar a série de entrevistas que o MIS realiza. A ideia é registrar para a posteridade testemunhos de pessoas que influenciaram decisivamente a história do país.

Ao meio-dia, antes de os portões do MIS serem abertos ao público, João Cândido entra no prédio pela porta dos fundos, junto com o filho. Apenas o guarda, o operador de som e os entrevistadores sabem de sua presença. Todo esse cuidado é para que a informação não vaze para a imprensa.

Aos 88 anos, com a voz bem fraca, várias vezes interrompendo a fala para tossir, o Almirante Negro é entrevistado por quase duas horas. O depoimento revela um João Cândido desiludido, ao mesmo tempo vaidoso pela notoriedade adquirida na Revolta da Chibata.

A gravação demonstra também que os marinheiros que colocaram o Rio de Janeiro sob a mira dos canhões tiveram motivações práticas, muito mais do que ideológicas.

Logo no início do depoimento, João Cândido afirma:

> Nós, que viemos da Europa, em contato com outras Marinhas, não podíamos mais admitir que na Marinha do Brasil ainda um homem tirasse a camisa para ser chibatado por outro homem.
>
> Nós queríamos combater os maus-tratos, a má alimentação na Marinha. E acabar definitivamente com a chibata, o causo era só este.

Em seu depoimento, o Almirante Negro deixa transparecer as contradições e paradoxos de um homem comum, longe da imagem de mito que alguns quiseram impor a ele. Ao mesmo tempo que liderou um movimento de cunho aparentemente de esquerda – a Revolta da Chibata –, João Cândido admite ter mantido uma relação quase servil com os oficiais.

Anos depois, esteve próximo dos comunistas da Aliança Nacional Libertadora (ANL), mas acabou filiando-se ao integralismo fascista de Plínio Salgado. No final da vida, na década de 1960, participou ainda da Revolta dos Marinheiros, que precipitou o golpe militar de 1964. Mesmo assim, no depoimento ao MIS, faz elogios a esses mesmos militares, porque eles estariam "consertando" o Brasil.

O que se percebe, em suas palavras, é que João Cândido foi muito mais utilizado como um joguete nas mãos de oportunistas políticos do que motivado por ideologias próprias. O que ele buscava, ao se aproximar desses movimentos, era simplesmente conquistar melhorias para sua categoria, não importando, muitas vezes, de onde elas viessem.

João Cândido, ao longo de sua vida, comungou com aquela ideia propagada por Dias Martins pouco antes da Revolta da Chibata: "Não importa quem seja o presidente da República, nem qual o regime político. O importante é acabar com a escravidão na Marinha".

Pouco antes da Revolta da Chibata, João Cândido chegou a presentear o então presidente da República, Nilo Peçanha, com um desenho feito a carvão. Ao mesmo tempo, teve a coragem de pedir ao presidente, de viva voz, o fim da chibata. Na gravação do MIS, o Almirante Negro admite ter sido guindado à posição de líder da revolta, por seus colegas, justamente porque mantinha um bom relacionamento com a oficialidade.

> Eu era moço, a rapaziada me disse que tinha uma certa confiança em mim. Eu era, mesmo em criança, um negro que tinha uma liderança até com os velhos, tinha interesse pelo bem-estar de todos, pela saúde de todos. Virei líder do movimento de 1910 porque eu era um marinheiro que gozava de certa regalia com os oficiais e a marujada me obedecia muito. Eu exercia uma função de mando e os demais marinheiros sempre queriam estar junto. Tinham oficiais em contato direto comigo. Havia alguns oficiais sérios, os oficiais até me pediam instrução.

Em outro trecho de seu depoimento, João Cândido deixa claro que, por sua liderança, acabou muitas vezes na vida assediado por forças políticas de esquerda e de direita, que queriam ter sempre o Almirante Negro como um aliado: "Estive com os integralistas e fui recebido como um superchefe, com as mesmas regalias dadas aos oficiais e marechais".

Questionado pelo entrevistador do MIS, o historiador Hélio Silva, como via o recente movimento militar de 1964 (estavam em 1968), ele afirma:

> Não sei se os paisanos vão gostar, mas esse movimento dos militares foi de salvação, porque eles estão trabalhando. Não sou simpático a fulano nem a sicrano. Eu quero ver um Brasil bom, grande, forte, defendendo os seus. Dando fartura aos seus sem ter que pedir emprego na Rússia.

Além da liderança conquistada pela proximidade com os oficiais, João Cândido, na Inglaterra, havia tomado importantes lições de navegação e tornara-se um dos poucos marinheiros capazes de conduzir, com mestria, um grande navio como o *Minas Gerais*. No depoimento ao MIS, ele demonstra vaidade quando fala do assunto:

> Além do conhecimento que já tínhamos na Marinha, ganhamos mais conhecimento no tempo que estivemos na Inglaterra assistindo à construção da nova esquadra. Eu, na Marinha, posso dizer: a arte de dominar um navio não é difícil para quem conhece, mas é espinhosa, e eu só conheci no mundo um timoneiro com maior poder. Sabe quem foi? Kaiser II. Na Marinha, timoneiro era João Cândido.

E foi justamente por esse motivo – pelo fato de, pela primeira vez na história do país, um negro ter conduzido um grande navio – que seu nome acabou tornando-se um tabu nas Forças Armadas.

> Muitos oficiais da Marinha não conseguiam comandar o *Minas Gerais* e eu tive o poder de dominar, fazer o que jamais fariam, na baía do Rio de Janeiro.
> Quando eu recebi o ofício, dizendo que a esquadra seria atacada pelo governo, não dei resposta. Preparei meus navios e me fiz ao mar. De lá passei um radiograma para o governo, avisando que os navios estavam a trinta milhas da costa do Rio de Janeiro, esperando o ataque do governo.
> Esperei 24 horas e não apareceu ninguém. Voltei para o Rio de Janeiro para abastecer, umas três ou quatro vezes

vim abastecer. Quando chegava de tarde me fazia ao mar para descansar as tripulações.

Na visão do já velho Almirante Negro, faltou coragem ao governo para atacar os revoltosos: "O governo tinha na época, de fato, poderes para nos atacar, porque tinha uma flotilha de destróieres novos, saídos da fábrica. Havia mais de cinquenta torpedos com cabeça de combate preparados. O governo não atacou mesmo por negligência e covardia".

No final do depoimento, João Cândido relata as dificuldades financeiras pelas quais vinha passando, em função da perseguição que sofreu ao longo da vida por parte da Marinha: "Depois que saí da cadeia, ainda tentei trabalhar no mar, mas fui sempre muito perseguido, até na Marinha Mercante".

A partir daí, o Almirante Negro narra episódios da sua vida até aquele ano de 1968:

> Depois da Revolta da Chibata caí na penúria. Quando houve a epidemia espanhola, em 1918, estive a serviço dos navios ingleses que estavam aqui, no momento de limpeza, desinfecção, enterrando ingleses. Todos os dias morriam de trinta a quarenta ingleses. Depois ingressei na pesca, por falta de outra oportunidade. Trabalhei quarenta anos no mercado de pesca.
>
> [...]
>
> Em 1959, ali no entreposto da Praça XV, completei quarenta anos no serviço e abandonei esse trabalho. Não tinha resultado, creio que ia morrer de fome. Abandonei o serviço e fui para o Rio Grande do Sul, sabe fazer o quê? Pedir

esmola. O Estado dera-me uma pensão de oito mil cruzeiros. Hoje, graças a Deus, estou com uma pensão sabe de quanto? Recebi do Banco do Estado este mês 58 cruzeiros, graças a Deus. Representa milhões por vir de onde vem, do meu glorioso Rio Grande do Sul. O senhor vê, recebi diploma de cidadão honorífico da Câmara Municipal de Cachoeira do Sul, da União Estudantil de São João de Meriti e outras coisas mais. Hoje estou com 58 cruzeiros, imagine se dá para alguém comer.

Tarde de 6 de dezembro de 1969. Como é comum nessa época do ano, o Rio de Janeiro vive problemas de enchentes em função das fortes chuvas de verão. A pequena casa de João Cândido, no Parque Alian, em Coelho da Rocha, está submersa num lamaçal.

A Avenida Brasil – única via de acesso da cidade do Rio de Janeiro à Baixada Fluminense, à época – está alagada. Por volta das quatro da tarde, quando o temporal dá uma trégua, João Cândido vai ao quintal, para esticar as pernas. Nesse momento, sente uma forte dor na barriga, que o faz cair.

Embora tivesse enfrentado durante anos graves problemas nos pulmões, a vida do Almirante Negro chega ao fim por outra doença: um fulminante câncer no intestino, que lhe provoca grande hemorragia. João Cândido pede para ser levado ao hospital. O filho caçula, Candinho, que trabalha no centro da cidade, na Associação Brasileira de Imprensa (ABI), ainda não está em casa, em função do alagamento na Avenida Brasil. É ele quem normalmente acompanha o pai em suas saídas.

João Cândido é levado ao Hospital Getulio Vargas por outro filho, Daniel, que consegue carona com vizinhos. No hospital, os médicos vão direto ao assunto: não há salvação. A forte hemorragia, decorrente do câncer, tornara irreversível seu caso.

O Almirante Negro morre aos 89 anos, ao anoitecer. Seu nome continua um tabu na Polícia, nas Forças Armadas e entre os que temem ser confundidos com subversivos. O médico do hospital, não se sabe por quê, recusa-se a fornecer o atestado de óbito. O corpo é levado ao Instituto Médico Legal (IML), embora a morte não tenha sido por causa violenta ou desconhecida.

Somente no dia seguinte o corpo é liberado, e o pequeno cortejo, com a família num táxi, ruma para o Cemitério do Caju. O pastor Lucas Manzon, familiares e quatro conselheiros da ABI acompanham o caixão. O enterro é na quadra 45.

A família e os amigos não podem ficar a sós com João Cândido nem no momento de sua morte. Perto da cova em que está sendo enterrado, quatro policiais acompanham tudo de perto, com máquinas fotográficas. Na porta do cemitério, uma radiopatrulha permanece estacionada.

No começo da década de 1970, a dupla João Bosco e Aldir Blanc, que viria a tornar-se uma das mais populares da música brasileira, compõe a canção *O mestre-sala dos mares*, uma homenagem a João Cândido.

João Bosco acabava de chegar ao Rio de Janeiro, vindo de Ouro Preto (MG), e fora apresentado a Aldir Blanc, que vencera o Festival Universitário de 1969 com a canção *Amigo é para essas coisas*, interpretada pelo MPB4.

Os dois resolvem fazer uma parceria diferente das demais existentes na MPB. Não se fixariam em gêneros musicais pre-estabelecidos e comporiam de tudo: samba, choro, bolero. Essa viria a ser a marca registrada da dupla.

Dentro desse espírito, Aldir decide compor um samba-enredo com jeito de música feita em mesa de bar. Surge a ideia de tratar de um tema histórico, e o cineasta Cláudio Tolomei, um amigo, sugere que abordem um assunto praticamente desconhecido: a história do Almirante Negro e da Revolta da Chibata.

Tolomei tinha o projeto de realizar um curta-metragem – que acabou nunca saindo do papel – sobre a vida de João Cândido. A pesquisa vinha sendo feita por outro amigo em comum, Pedra Lourenço. Os quatro – Tolomei, Lourenço, Aldir e João Bosco – formam, então, um grupo que passa a estudar a história de João Cândido.

De posse de um extenso material biográfico sobre o Almirante Negro, Aldir Blanc debruça-se sobre a letra de *O mestre-sala dos mares*. João Bosco faz depois a harmonia da canção, que viria a se tornar célebre na voz de Elis Regina.

Antes disso, porém, a dupla enfrenta quase intransponíveis barreiras impostas pela censura. Os dois são chamados ao Departamento de Censura para explicar a música que traz à tona um assunto proibido pelas Forças Armadas. A luta pela liberação da canção dura anos.

"Não me esqueço até hoje das vezes em que fui tentar livrar a música da censura", recorda Aldir Blanc. "Havia aquela coisa de cabide de emprego e eu tinha sempre que passar por, no mínimo, três burocratas até ser atendido pela pessoa que realmente decidiria sobre a música."

O compositor lembra passagens hilárias, como a de um agente da censura que, em determinado dia, atendeu-o muito irritado: "Ele não podia ouvir falar em músico brasileiro e tanta raiva tinha um motivo: dizia que seu filho ficava rebolando em casa como o cantor Ney Matogrosso e ele detestava isso".

Depois de muitas idas e vindas com a letra de *O mestre-sala dos mares* embaixo do braço, Aldir teve a ideia de "florear" a música com algumas palavras que, aparentemente, não tinham nada que ver com o tema. Foi assim que colocou polacas, mulatas e baleias em sua música.

O compositor trocou também a palavra almirante por navegante, e a canção – com o refrão "Salve o Navegante Negro, que tem por monumento as pedras pisadas no cais" – acabou liberada e estourou nas rádios de todo o país.

Na última conversa com os censores, contudo, Aldir fica sabendo, pela boca de um dos agentes, que o maior "problema" da música não é o seu lado político. Quase trinta anos depois, Aldir lembra desse dia: "O cara chegou com a letra na mão e me disse: 'O que tá pegando mais não é o lado político, e sim a questão da exaltação da raça, porque essa música faz uma tremenda apologia ao negro'".

Em julho de 2008, 98 anos depois da Revolta da Chibata, o presidente Luiz Inácio Lula da Silva sanciona a anistia póstuma ao marinheiro João Cândido. A anistia, proposta em 2002 pela senadora Marina Silva, buscava reparar uma das maiores injustiças já praticadas contra um brasileiro.

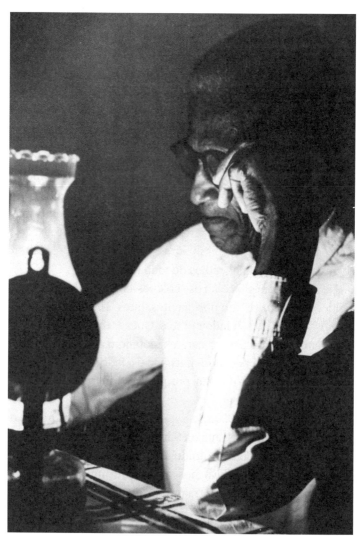

João Cândido em sua casa, em foto de 1963.

Bibliografia

ANTUNES, Paranhos. *História de Rio Pardo*. Porto Alegre: Livraria do Globo, 1933.

BARBOSA, Rui. *Obras completas* (discursos parlamentares). Rio de Janeiro: MEC, 1971. v. XXXVII.

CARVALHO, José Murilo de. *Pontos e bordados*. Belo Horizonte: Editora da UFMG, 1998.

CUNHA, Heitor Xavier Pereira da. *A revolta da esquadra brasileira em novembro e dezembro de 1910*. Rio de Janeiro: Imprensa Naval, 1953.

CUNHA, Maria Clementina Pereira. *Liberalismo e oligarquias na República Velha – O país e a campanha do marechal Hermes da Fonseca (1909-1910)*. 1976. Dissertação (mestrado em História) – Departamento de História da FFLCH, Universidade de São Paulo, São Paulo (SP).

MAESTRI FILHO, Mário José. *O escravo gaúcho*. São Paulo: Brasiliense, 1982.

_____. *1910: A Revolta dos Marinheiros – Uma saga negra*. São Paulo: Global, 1982.

MARTINS, Hélio Leôncio. *A Revolta dos Marinheiros*. São Paulo: Editora Nacional, 1988.

MORAES, Paulo R. de. *João Cândido*. Porto Alegre: Tchê, 1984.

MOREL, Edmar. *A Revolta da Chibata*. Rio de Janeiro: Graal, 1979.

SILVA, Marcos A. da. *Contra a chibata: marinheiros brasileiros em 1910*. São Paulo: Brasiliense, 1982.

------------------------ dobre aqui ------------------------

CARTA-RESPOSTA
NÃO É NECESSÁRIO SELAR

O SELO SERÁ PAGO POR

AC AVENIDA DUQUE DE CAXIAS
01214-999 São Paulo/SP

------------------------ dobre aqui ------------------------

------ recorte aqui ------

JOÃO CANDIDO

CADASTRO PARA MALA DIRETA

Recorte ou reproduza esta ficha de cadastro, envie completamente preenchida por correio ou fax, e receba informações atualizadas sobre nossos livros.

Nome: _____ Empresa: _____
Endereço: ☐ Res. ☐ Com. _____ Bairro: _____
CEP: _____ - _____ Cidade: _____ Estado: _____ Tel.: ( ) _____
Fax: ( ) _____ E-mail: _____
Profissão: _____ Professor? ☐ Sim ☐ Não Disciplina: _____ Data de nascimento: _____
Grupo étnico principal: _____

1. Onde você compra livros?
☐ Livrarias ☐ Feiras
☐ Telefone ☐ Correios
☐ Internet ☐ Outros. Especificar: _____

2. Onde você comprou este livro? _____

3. Você busca informações para adquirir livros por meio de:
☐ Jornais ☐ Amigos
☐ Revistas ☐ Internet
☐ Professores ☐ Outros. Especificar: _____

4. Áreas de interesse:
☐ Autoajuda ☐ Espiritualidade
☐ Ciências Sociais ☐ Literatura
☐ Comportamento ☐ Obras de referência
☐ Educação ☐ Temas africanos

5. Nestas áreas, alguma sugestão para novos títulos? _____

6. Gostaria de receber o catálogo da editora? ☐ Sim ☐ Não

Indique um amigo que gostaria de receber a nossa mala direta

Nome: _____ Empresa: _____
Endereço: ☐ Res. ☐ Com. _____ Bairro: _____
CEP: _____ - _____ Cidade: _____ Estado: _____ Tel.: ( ) _____
Fax: ( ) _____ E-mail: _____
Profissão: _____ Professor? ☐ Sim ☐ Não Disciplina: _____ Data de nascimento: _____

Selo Negro Edições
Rua Itapicuru, 613 7º andar 05006-000 São Paulo - SP Brasil Tel. (11) 3872-3322 Fax (11) 3872-7476
Internet: http://www.selonegro.com.br e-mail: selonegro@selonegro.com.br

cole aqui